C'est beau la vie

Catalogage avant publication de Bibliothèque et Archives nationales du Québec et Bibliothèque et Archives Canada

Michaud, Christine, 1970-

    C'est beau la vie : vivre heureux dans le courant de la grâce!

    Comprend des réf. bibliogr.

    ISBN 978-2-89225-724-3

    1. Réalisation de soi. 2. Bonheur. 3. Contrôle (Psychologie). 4. Lâcher prise. I. Titre.

BF637.S4M42 2010   158.1   C2010-941951-0

Adresse municipale :
Les éditions Un monde différent
3905, rue Isabelle, bureau 101
Brossard (Québec), Canada
J4Y 2R2
Tél. : 450 656-2660 ou 1 800 443-2582
Téléc. : 450 659-9328
Site Internet : www.umd.ca
Courriel : info@umd.ca

Adresse postale :
Les éditions Un monde différent.
C. P. 51546
Succ. Galeries Taschereau
Greenfield Park (Québec)
J4V 3N8

Dépôts légaux : 3e trimestre 2010
Bibliothèque nationale du Québec
Bibliothèque nationale du Canada
Bibliothèque nationale de France

Conception graphique de la couverture :
OLIVIER LASSER

Photo :
NANCY LESSARD

Photocomposition et mise en pages :
ANDRÉA JOSEPH [pagexpress@videotron.ca]

Typographie : Minion 12 sur 14 pts

ISBN 978-2-89225-724-3

Nous reconnaissons l'aide financière du gouvernement du Canada par l'entremise du Programme d'aide au développement de l'industrie de l'édition pour nos activités d'édition (PADIÉ).

Gouvernement du Québec – Programme de crédit d'impôt pour l'édition de livres – Gestion SODEC.

Gouvernement du Québec – Programme d'aide à l'édition de la SODEC.

IMPRIMÉ AU CANADA

Christine Michaud

C'est beau la vie

Vivre heureux dans le courant de la grâce !

UN MONDE **†** DIFFÉRENT

Aux deux Y. G. de ma vie...

Sommaire

Remerciements.. 11

Préface de Marc Fisher 13

Prologue... 21

À chacun son histoire 23

On a tendance à trouver ce que l'on cherche...... 27

En avant la musique!.. 33

Dîner de rêve 37

Ouvrons nos valises!.. 41

Et si on fouillait un peu plus loin? 45

Retour en enfance 49

Payée pour lire?... 53

Un ménage payant 61

Un cadeau mal emballé… 65

Le pardon de manière inattendue......................... 69

Que ferait l'amour? 73

Guérir de la «Stacose».. 77

Mon amie Pierrette 81

Je suis au bon endroit et tout va bien! 85

Un sort positif 89

Saint Joseph s'en occupe! 93

La puissance de nos relations 99

Un ami magique 103

Bien accompagné 107

Les ailes de Chopin 111

Hanaël 117

Des anges à notre service 121

Des questions? 125

Commencez tout de suite! 131

Le voir pour le croire 137

Des indices 145

Des petits lutins fatigués… 149

L'argent ne fait pas le bonheur…
ni le malheur d'ailleurs! 153

L'art de permettre 159

Mon âme sait… 165

Zoé 171

La maison du bonheur 175

Notre devoir: trouver la joie! 181

Ralentir et observer… 187

Éloge du petit 193

Le pouvoir de la bonté 197

Une chanson en cadeau 203

Vive les poissons rouges! 207

Comme une éclaircie 213

Lectures suggérées 219

Remerciements

Sans vous, la vie ne serait pas aussi belle et ce livre n'aurait pas vu le jour…

Yvette, ma « grand-maman fée » qui m'a ouvert les portes de la spiritualité. Je nous imagine mon âme et toi, de connivence pour me permettre de croire qu'il y a plus encore…

Yves, mon amoureux, un précieux cadeau… magnifiquement emballé celui-là. Tu as su trouver la meilleure façon pour que ce livre soit publié… Merci pour tes encouragements, ta patience et ton amour.

Mes parents, Lise et Claude, ceux par qui tout a commencé. Merci de m'avoir donné la vie, mais surtout de l'avoir enrobée d'autant d'amour.

Alexandre, mon petit frère et grand protecteur. Merci pour ta présence, ta sensibilité et ce don que tu possèdes de toujours avoir les bons mots…

Mes beaux-fils, Émile, Charles et Victor, qui m'ont souvent demandé si je parlais d'eux dans ce livre. Vous avez la réponse maintenant et je tiens surtout à vous dire à quel point je me sens choyée de vous avoir à mes côtés.

Chiffonie, ma muse… petite sœur de cœur, grande inspiratrice qui me pousse à oser être qui je suis. Merci d'accomplir ta mission…

Nancy Lessard, celle qui a su photographier mon âme… Ton séjour sur terre m'aura permis de saisir l'importance de percevoir la beauté sous toutes ses formes…

À toute l'équipe des éditions Un monde différent :

Monique et Manon, pour la joie que j'éprouve à être en votre compagnie.

Lise Labbé, pour son talent immense et son cœur d'or.

Mon éditeur, Michel Ferron, pour le courage dont tu as fait preuve en acceptant de publier le livre d'une auteure qui a bien du mal à s'avouer en être une !

Mon mentor et ami, Marc Fisher, qui m'a sauvé la vie un jour et m'inspirera toujours. Je n'ai pas suivi ton conseil d'écriture par contre… J'ai plutôt fait le contraire. Je suis têtue et amoureuse !…

Enfin, à vous chers amis, téléspectateurs, auditeurs et participants à mes ateliers et conférences, ce livre vous est destiné, mais il a aussi été créé grâce à vous.

On récolte ce que l'on sème !

Préface

Heureux le lecteur qui tient ce livre dans ses mains !

Car non seulement va-t-il se régaler, comme je viens de le faire à ma seconde lecture (!), mais il risque de voir son cœfficient de bonheur connaître des sommets nouveaux, exploser même, pour peu qu'il commette l'« erreur » de lire la première page ! Ensuite, il sera irrésistiblement entraîné dans le courant de la grâce, il entreprendra un voyage dont il ressortira transformé, métamorphosé, plus près de ce qu'il est vraiment, de ce qu'il a toujours voulu être !

Il ne lui manquait que ce magnifique hasard que sont parfois les livres, que ce message venu du ciel ou pour mieux dire de ce véritable ange qu'est Christine Michaud.

Le livre de Christine – je me permets de l'appeler ainsi, car nous sommes amis ! – nous parle et nous rejoint immédiatement, car la populaire chroniqueuse littéraire de *Salut, Bonjour ! week-end* y fait d'entrée de jeu un aveu d'une sincérité bouleversante :

à l'aube de la trentaine, elle tombe en panne devant un feu de circulation.

En panne...

Pas sa voiture : elle !

Oui, c'est le burnout, la dépression, la chute dans la nuit, dont elle se sort petit à petit en redéfinissant sa vie, en cherchant et en trouvant des outils de transformation intérieure dont elle nous révèle page après page le secret simplifié par son extraordinaire talent de communicatrice.

Elle exerçait un métier plus qu'honorable, mais qui ne la comblait pas, loin de là, et elle eut l'audace, le courage – que plusieurs n'ont pas – de tout laisser tomber pour repartir à zéro, pour vivre ses rêves, en un mot pour suivre le courant de la grâce, comme elle l'explique si bien.

Moi, ce genre de parcours, cette volonté de changer radicalement de cap, ça me parle, ça me touche.

Parce qu'à bien des occasions dans notre vie, on est appelé à le faire, mais on ne le fait pas.

Pour toutes sortes de raisons.

Bonnes et moins bonnes.

Je vous laisse en dresser la triste liste.

Car ce faisant, on ferme la porte au bonheur, on l'ouvre au malheur.

Avec sincérité, avec émotion, mais avec humour aussi, car elle n'est pas du genre à s'apitoyer sur son sort, beaucoup s'en faudrait, Christine nous raconte aussi son divorce, et on se rend compte qu'on est en présence de quelqu'un d'extraordinaire, de la reine de la résilience, si vous me passez l'expression. Non seulement elle tourne la page (facile pour une chroniqueuse littéraire, me direz-vous!), mais aussi, mais surtout, elle fait ce qu'on devrait tous faire : elle tire des leçons de ses échecs, mieux encore elle les voit comme les commodes et divins tremplins vers une nouvelle version d'elle-même revue et améliorée.

Et on se dit spontanément, le cœur empli d'un espoir nouveau, d'une petite musique romantique et belle (son livre en est plein!) : «*Moi aussi, je peux le faire! Moi aussi, je peux me relever de pires épreuves et faire ce que j'aime et avoir tout le succès que je mérite et faire des sous en m'amusant! Cette femme étonnante en est la preuve vivante!*»

Et du coup, ravi, ému, amusé, instruit, on sent dans notre pied une impatience nouvelle, qu'on n'avait pas connue depuis longtemps, et on part enfin pour ce voyage qu'on avait depuis trop longtemps reporté. On regarde sa vie avec d'autres yeux, des sourires nous viennent, des fous rires même.

C'est ça, le miracle du livre de Christine!

J'aimerais pouvoir dire toutes les raisons de mon enthousiasme, de mon ravissement, que vous sentez, non?

Mais l'espace me manque.

Pourtant, je ne peux passer sous silence, parmi toutes les anecdotes personnelles et tous les conseils précieux que nous livre généreusement Christine, le récit de la mystérieuse maladie de son perroquet Chopin.

Le diagnostic est étonnant…

C'est Christine et non lui qui traversait une période difficile et tentait (comme on fait si souvent) de cacher à son entourage ses déboires conjugaux!

Le pauvre volatile «somatisait» à sa place, si j'ose dire!

Et dire que, lorsqu'on veut insulter quelqu'un, on l'accuse d'avoir une cervelle d'oiseau!

Chopin était plus sensible que bien des conjoints: quel baromètre étonnant de nos propres états, que nos animaux!

Merci du «*tip*», du conseil, chère amie, je ne savais pas!

Et il y a aussi cette histoire magique, lorsque notre conférencière bien-aimée aida une amie notaire à vendre rapidement sa maison grâce aux services «immobiliers» de saint Joseph…

Je ne vous dis pas comment au juste, parce que je veux absolument que vous lisiez ce livre et que vous le fassiez lire à tous vos amis!

Je ne peux pas faire plus pour vos convaincre, je crois.

Oui, je peux!

Si vous ne suivez mon conseil, je vous boude et ne vous parle jamais plus!

Allez, lisez donc et entrez dans le courant de la grâce !

Il n'y pas de secret plus efficace pour être heureux !

Marc Fisher, auteur et heureux ami
de Christine Michaud

« À quoi bon essayer ? dit Alice en riant.
On ne peut croire en quelque chose d'impossible.

— Alors, c'est que vous n'avez pas grande expérience,
répliqua la Reine. Lorsque j'avais votre âge,
j'essayais chaque jour pendant une demi-heure.
Eh bien, parfois, j'ai cru jusqu'à six choses impossibles
avant même qu'arrive l'heure du petit déjeuner. »
— Lewis Carroll, *Alice à travers le miroir*

« *Deviens ce que tu es.* »
— Nietzsche

Prologue

Le feu de circulation passa au vert et je devais avancer, poursuivre ma route jusqu'à mon lieu de travail à peine quelques kilomètres plus loin. Mais voilà que j'étais pétrifiée. Mon pied refusait catégoriquement d'appuyer sur la pédale.

Qu'est-ce qui m'arrivait? Étais-je en train de paralyser ou quoi?

Même mon cerveau semblait soudainement complètement engourdi. Le bruit des klaxons des conducteurs furieux derrière moi me ramena d'un seul coup à la réalité. Mais tout ce que je parvins à faire fut de ranger ma voiture en bordure de la route. Non, vraiment, je ne pouvais pas aller plus loin. Encore toute confuse, j'appelai à l'aide. C'était un appel au secours.

Peu de temps après, j'étais dans la salle d'attente d'un médecin, priant pour que mon état ne soit pas trop grave. Aussitôt assise devant lui, j'eus droit à un questionnaire en règle:

Est-ce que je dormais bien?

Avais-je de la difficulté à me concentrer?

Comment était mon énergie physique?

Ma libido?

Avais-je des pensées suicidaires?

Je trouvais les questions étrangement perti-
nentes…

Il semblait être sur une piste… Et moi, complètement à côté, justement!

Le diagnostic fut établi rapidement: dépression
majeure.

Le traitement: arrêt de travail, Zoloft 50 mg et
thérapie.

Le constat aujourd'hui: Merci la vie pour ce
merveilleux cadeau!

À chacun son histoire…

> « *Jamais personne ne lira notre étoile*
> *À chacun son histoire*
> *Jamais personne ne bordera nos voiles*
> *C'est notre histoire.* »

À chacun son histoire
Paroles de G. Andreetto et S. Marchand
Interprétée par Natasha St-Pier

C'est beau la vie, non?

À moins que ce ne soit pas le cas pour vous en ce moment? Ça pourrait être mieux, me dites-vous?

Que vous manque-t-il pour la trouver belle votre vie?

Une relation amoureuse passionnante? Un travail valorisant qui donne un sens à votre existence? Une situation financière plus florissante?

Voici une première bonne nouvelle : c'est formidable que vous viviez certaines insatisfactions actuellement. Elles pourraient devenir un puissant moteur de transformation.

Vous souvenez-vous de Fanfreluche ? Destinée aux enfants, cette série télévisée québécoise mettait en scène une poupée qui racontait des contes et légendes aux téléspectateurs. Lorsqu'une histoire lui déplaisait, elle y entrait physiquement pour en changer l'issue. Rappelez-vous la chanson en début d'émission : « *Fanfreluche va raconter un beau conte à sa manière, Fanfreluche va raconter un beau conte pour vous amuser.* »

Petite, j'adorais Fanfreluche et je rêvais de détenir ce pouvoir d'entrer dans les livres. Coïncidence plutôt cocasse, aujourd'hui je gagne ma vie à lire des histoires et à aider les gens à transformer l'issue de la leur. Mais pourquoi changer, si ce n'est pour améliorer le tout ? C'est là que la deuxième phrase de la chansonnette prend tout son sens… « *Fanfreluche va raconter un beau conte pour vous amuser.* » Quel plaisir aurions-nous en effet si les histoires racontées (ou vécues…) étaient tristes ou ennuyeuses ?

Je suis entrée dans mon histoire une première fois lors de ma dépression à l'âge de vingt-huit ans. Par la suite, j'y suis retournée souvent pour améliorer certaines situations… si on peut le dire ainsi ! Après une dépression, un changement de carrière et un divorce, croyez-moi, on devient plutôt créative pour engendrer des dénouements favorables et trouver son bonheur !

À votre tour maintenant d'en faire autant. À l'instar de Fanfreluche, vous pourrez entrer dans votre propre histoire pour en modifier le déroulement si cela vous chante. Vous pourrez l'agrémenter de rebondissements, de mystère ou de tout ce qui vous fera vibrer et vous sentir vivant. En somme, je vous invite à créer le roman de votre vie : « *Un beau roman, une belle histoire* », comme le chanterait Michel Fugain. Une histoire qui n'est pas toujours écrite à l'eau de rose, mais dont il suffit parfois de tourner la page pour changer de chapitre !

Aussi, en ce moment même, alors que vous tenez ce livre entre vos mains, j'aime m'imaginer assise à vos côtés, comme une amie fidèle vous aimant d'un amour inconditionnel. Je me propose même d'être votre « amie magique virtuelle ». Vous comprendrez un peu plus loin ce qu'est une amie magique…

Chaque fois que je m'adresse à vous, que ce soit par le biais de la télévision, de la radio ou encore lors d'ateliers et conférences, je suis fascinée par votre beauté et votre immense potentiel. Debout sur une scène avec des gens devant moi, j'ai toujours l'impression que mon cœur est mille fois plus grand. J'ai tellement lu et entendu d'histoires d'êtres humains ayant transcendé leurs limites, transformé leur vie ou réalisé leurs rêves que le doute ne peut plus s'immiscer dans mon esprit. Je CROIS en vous !

Tiens, il me vient une idée ! Pourquoi ne pas improviser tout de suite une ambiance ? Après tout, vous vous apprêtez à entrer dans mon livre et même dans ma vie. C'est comme si je vous recevais chez moi en quelque sorte.

Pour tout vous dire, ça fait longtemps que je vous attendais...

Et je suis émue de vous savoir enfin là.

Alors, ouvrons le champagne et levons notre verre à ce nouvel élan que vous vous apprêtez à donner à votre existence.

Entendez-vous le son de la musique qui s'élève dans la pièce? Des paroles que je vous dédie...

« Suis ton étoile
Va jusqu'où ton rêve t'emporte
Un jour tu le toucheras
Si tu crois
Si tu crois
Si tu crois en toi
Suis ta lumière
N'éteins pas la flamme que tu portes
Au fond de toi souviens-toi
Que je crois
Que je crois
Que je crois en toi. »

I Believe In You (Je crois en toi)
Paroles de J. Elofsson, P. Magnusson,
D. Kreuger, M. Saggese, Luc Plamondon)
Interprétée par Céline Dion et Il Divo

On a tendance à trouver
ce que l'on cherche…

─◦◦◦─

« Attention, mesdames et messieurs,
dans un instant, ça va commencer
Nous vous demandons évidemment d'être indulgents
Le spectacle n'est pas bien rodé,
laissez-nous encore quelques années
Il ne pourrait que s'améliorer au fil du temps. »
Attention, mesdames et messieurs
Paroles de P. Delanoë
Interprétée par Michel Fugain et le Big Bazar

─◦◦◦─

Attention, mesdames et messieurs, dans un instant, vous allez tourner la page et amorcer votre
lecture. C'est la même histoire depuis la nuit des
temps, mais chacun la réécrit à sa façon et c'est ce qui

fait de chaque livre un objet unique ayant le pouvoir de nous amener un peu plus loin sur le chemin de la vie.

Mais avant de commencer, j'ai deux questions pour vous : « Pourquoi avez-vous choisi ce livre ? Qu'espérez-vous y découvrir ? » Dans la vie, on a tendance à trouver ce que l'on cherche. Il vaudrait mieux définir immédiatement l'intention qui vous anime en ce moment. Vous pourriez même en profiter pour vous jeter un sort positif, comme cette auditrice qui me confiait réclamer un petit miracle au quotidien. Elle disait être impressionnée par l'efficacité de cette demande et les effets positifs qu'elle en retirait.

Quel serait votre miracle à vous ?

Qu'aimeriez-vous retrouver dans ce livre ? Que souhaitez-vous qu'il vous apporte ? Faites votre demande immédiatement, passez votre commande et vous serez surpris des résultats. Il n'y a rien de sorcier dans cette façon de faire. Il s'agit de mettre l'accent sur ce que nous désirons et non rechercher ce qui cloche ou ce qui ne fait pas notre affaire.

Je ne vous laisserai pas poursuivre votre lecture avant que vous ayez répondu aux deux interrogations suivantes :

J'ai choisi ce livre parce que…

En le lisant, je me souhaite…

Il pourrait être utile de vous munir d'un petit carnet de notes qui deviendra le compagnon parfait de ce livre. Vous pourrez y écrire les réponses aux questions précédentes et y noter vos réflexions et inspirations en cours de lecture.

Avez-vous déjà remarqué ce qui attire votre attention lorsque vous assistez à un spectacle ou une conférence? Remarquez-vous le pantalon trop court d'un musicien, l'ampoule qui ne s'est pas allumée dans le décor ou le rideau de scène défraîchi? Avez-vous l'habitude de critiquer et rechercher des défauts ou bien vous accueillez ce qui est offert dans un état de bonheur et de gratitude en étant totalement présent à ce qui se passe?

Dans l'espoir de retirer le maximum de bénéfices de ce que vous vous apprêtez à lire (et de tout ce que vous lirez dans votre vie), je vous suggère d'ouvrir votre cœur et de croire que vous tenez ce livre entre vos mains pour une raison précise. Vous constaterez que je fais souvent des liens avec des cadeaux emballés et livrés de différentes façons. La vie a une multitude de présents à nous offrir. Il faut toutefois créer l'ouverture nécessaire et être réceptif. Tout est dans l'art de permettre... On y reviendra.

Je savais qu'il y avait un cadeau pour moi (et même plusieurs...) en rédigeant ce livre. Je sais aussi qu'il y en a au moins un qui vous est spécialement destiné. Saurez-vous le déceler en cours de lecture et le déballer? C'est ce que je vous souhaite du fond du cœur. Je ne crois pas trop aux hasards, mais davantage aux synchronicités et à ces signes qui apparaissent sur notre route pour nous guider. Mais encore faut-il les voir et en faire bon usage.

Enfin, j'ai un avertissement à vous faire...

Je suis un être humain comme tout le monde (madame Tout-le-Monde, comme on dit!) ayant vécu des expériences et appris quelques leçons. Les livres m'ont transmis de précieux cadeaux. Au rythme de quatre bouquins par semaine, et ce depuis déjà plusieurs années, ça fait beaucoup de matière! J'ai certainement encore tout plein de choses à découvrir, mais ma vie a tellement changé en mieux au cours des dernières années qu'il me fallait vous le partager.

Je vous offre quelques tranches de ma vie comme certains feraient don de leur corps à la science. Je souhaite l'ouverture des consciences, la petite brèche qui insuffle l'espoir et qui porte à croire que l'être humain, tout comme son existence, possède ce petit quelque chose d'absolument magique si on se donne la peine de le découvrir.

Ne me croyez pas sur parole. Faites vos propres expériences. Soyez simplement ouvert à ce que vous lisez, et ressentez vos émotions pour savoir si cela est bon pour vous et approprié à cette étape de votre vie. Je vous donne la permission de sauter des pages et même des chapitres entiers si leur contenu ne vous convient pas en ce moment. Vous aurez toujours l'occasion d'y revenir.

Choisissez plutôt ce que vous désirez expérimenter et tirez-en vos propres conclusions. Faites de votre vie un laboratoire! Ainsi, vous pourrez concocter votre recette unique et c'est assurément celle qui sera la plus efficace pour vous.

Au fil de votre existence et de votre évolution, votre recette pourra changer, mais toujours elle demeurera adaptée à qui vous êtes et à ce dont vous avez besoin. Partir à la découverte de sa recette du bonheur est une aventure extrêmement stimulante. Vous découvrirez des choses passionnantes et vous vous amuserez davantage. C'est la grâce que je vous souhaite.

En avant la musique !

―――✦―――

« *Que les orchestres se mettent à jouer*
Que nos mémoires se mettent à rêver
Et laissons voyager nos pensées
Laissons aller nos corps et flotter. »

Musique
Paroles de Michel Berger
Interprétée par France Gall

―――✦―――

« La vie est comme un instrument de musique ;
il faut la tendre et la relâcher, pour la rendre agréable. »

DÉMOPHILE D'HIMÈRE

Pour vous accompagner tout au long de votre lecture, quelques extraits de chansons ont été intégrés au début de chaque chapitre. C'est Nietzsche qui disait que « sans la musique, la vie serait une erreur ». Il la soupçonnait même de nous mettre en relation avec « l'essence intime du monde ». Pour ma part, la musique a toujours fait partie intégrante de ma vie. Je lui attribue des pouvoirs particuliers, dont celui de nous connecter à notre âme. Elle s'avère un excellent outil aussi pour nous faire vibrer et nous permettre de changer d'humeur.

Des preuves?

Imaginez que vous vous êtes levé du mauvais pied ce matin et qu'en arrivant dans votre voiture, vous entendiez la chanson *Don't Worry, Be Happy* à la radio. Ne pensez-vous pas que ça allégerait votre humeur? Je vous vois déjà sifflotant, le sourire aux lèvres...

Ou encore, figurez-vous que vous avez eu une dispute avec votre conjoint avant de quitter la maison ce matin. À votre retour le soir, vous constatez avec surprise qu'il vous attend en petite tenue se dandinant sur l'air de *Let's Get It On* de Marvin Gaye. N'auriez-vous pas subitement envie de l'embrasser plutôt que de ressasser les propos du matin?

À quand remonte la dernière fois où vous vous êtes laissé envoûter par la musique? Pourquoi ne pas tester immédiatement son pouvoir en faisant jouer une pièce musicale que vous aimez particulièrement? On peut facilement se laisser transporter par la musique si on prend le temps de l'écouter... C'est ce qui m'arrive chaque fois que je vais à un concert ou que je m'organise une de ces fameuses fins de soirée passée à écouter des airs de jazz en sirotant un dernier verre. Purement divin!

La musique produit assurément un effet sur notre humeur. Certaines mélodies apaisent ou portent à la méditation, d'autres sont au contraire très énergisantes. Des médecins suggèrent même des morceaux choisis à leurs patients pour les accompagner dans un processus de guérison pour réduire leur niveau de stress. Grâce à la technologie d'aujourd'hui, on peut s'orchestrer des compilations de musique par thème ou selon le but recherché.

Pensez à ces mélodies ou chansons qui vous font du bien. Écoutez-les plus souvent et voyez l'effet positif qu'elles produiront sur vous. Soyez également attentif aux paroles que vous entendrez. Elles pourraient être porteuses de messages…

En avant la musique et bonne lecture!

Dîner de rêve

« J'aurais voulu être un artiste
Pour avoir le monde à refaire
Pour pouvoir être un anarchiste
Et vivre comme… un millionnaire »
Le blues du businessman
Paroles de Luc Plamondon et Michel Berger
Interprétée par Claude Dubois

« La plus merveilleuse surprise dans la vie consiste
à reconnaître soudainement votre propre valeur. »
MAXWELL MALTZ

Imaginez que l'on vous prépare un dîner de rêve. C'est une chance unique dans votre vie ! Vous avez l'opportunité d'inviter trois personnes de votre choix. Profitez-en pour convier celles qui vous impressionnent même si elles vous semblent complètement inaccessibles. Que vous pensiez à Céline Dion, le dalaï-lama ou Oprah Winfrey, elles accepteront avec plaisir. Je vous rappelle qu'il s'agit d'un dîner de rêve où tout est possible!

Quels sont les trois premiers noms qui vous viennent à l'esprit? Ne vous jugez pas. Laissez aller votre imagination.

C'est fait?

Inscrivez ces trois noms sur une feuille ou dans votre carnet (comme suggéré au début de ce livre).

Maintenant, décrivez ces personnes en notant leurs qualités ou ce qui vous impressionne chez elles. Pourquoi les avez-vous choisies?

C'est fait?

Alors, relisez attentivement ce que vous venez d'écrire parce que c'est de VOUS que vous parlez!

Surprenant, n'est-ce pas? Pourtant, vous avez assurément de nombreux points en commun avec vos trois invités. Vous êtes doté du même potentiel, de plusieurs qualités et talents similaires. Par contre, ce potentiel n'a peut-être pas encore complètement émergé du fond de votre être. Vous le possédez, mais vous n'en êtes pas conscient. C'est le principe du miroir. On admire souvent chez les autres ce que l'on possède nous-même. En fait, il paraît qu'on ne peut admirer chez une autre personne que ce que nous possédons déjà. Cependant, il se peut que vous l'ayez bloqué. Mais cela fait partie de vous et vos réponses prouvent que ce potentiel cherche encore à jaillir, à prendre sa place.

En faisant cet exercice, vous remarquerez peut-être que vous avez nommé trois personnes œuvrant dans le même domaine d'activité. Demandez-vous alors si ce secteur vous intéresse aussi. Et n'allez surtout pas vous mettre de pression. Peu importe ce que vous faites, vous êtes exactement au bon endroit en ce moment. Par contre, il se peut que votre âme chuchote à votre oreille et vous suggère d'essayer quelque chose de nouveau, d'entreprendre une nouvelle aventure. Allez simplement vérifier si cela vous ferait du bien. Par exemple, si vous avez nommé trois chanteurs ou chanteuses, il y a fort à parier que la musique est importante dans votre vie. Il est possible aussi que vous ayez enfoui à l'intérieur de vous un désir secret de chanter. Cela ne veut pas dire que vous deviendrez la prochaine Céline Dion ou le prochain Pavarotti, mais vous auriez peut-être intérêt à intégrer cet art dans votre vie. Inscrivez-vous à une chorale ou à un cours de chant, juste pour le plaisir. Vous verrez bien où cela vous mènera !

C'est en faisant ce genre de petites actions, en effectuant de minimes changements qu'on parvient à mieux se connaître. Et vous n'avez pas fini de faire de merveilleuses découvertes à propos de vous !

Ouvrons nos valises !

———✧———

« J'ai besoin pour vivre sur terre de rire, de m'amuser
Et surtout de chanter
J'ai besoin de danser avec le monde entier
J'peux pas vivre sans être aimé »

Besoin pour vivre
Paroles de Claude Dubois
Interprétée par l'auteur

———✧———

« C'est sur soi-même qu'il faut œuvrer,
c'est en soi-même qu'il faut chercher. »
PARACELSE

Je m'amuse parfois à imaginer la vie sur terre comme un voyage. Chacun arrive avec le bagage qu'il aura à utiliser pendant son périple. Habituellement, quand on part en voyage, on essaie d'être efficace, d'apporter ce dont nous aurons besoin, sans trop de surplus.

Alors, qu'avez-vous mis dans vos valises cette fois-ci?

Ce contenu devrait servir… Et le voyage sera d'autant plus agréable si on apprend à l'utiliser efficacement.

Nous sommes dotés d'un immense potentiel et de ressources infinies, mais nous souffrons quelquefois d'amnésie… Et si vous retourniez vérifier le contenu de vos valises? Il existe une multitude de façons d'apprendre à mieux se connaître. Parfois, c'est en aidant les autres à le faire qu'on enclenche le processus pour soi.

Lors d'un souper entre amis, si vous avez l'habitude de mettre des marque-places sur la table, vous pourriez inscrire une qualité en dessous du nom de chaque convive. C'est ce que j'ai fait lors d'un banquet par le passé et j'ai été surprise de constater que plusieurs personnes avaient conservé leur marque-place en souvenir, parce que l'une de leurs qualités y était inscrite. Voilà un signe nous démontrant à quel point nous avons besoin de prendre conscience de ce qui nous définit.

Aujourd'hui, alors que nous vivons dans une société où la chirurgie plastique est presque devenue à la mode, où l'on a parfois du mal à accepter de vieillir ou de ne pas correspondre à certains standards de beauté, pourquoi ne pas aller un peu à contre-courant en déterminant la nature de votre *délicieuse imperfection*… Vous savez ce petit trait physique ou autre qui vous rend unique et spécial?

Car tout est question de perspective. Ce que vous pensiez être une tare peut finalement s'avérer un atout qui vous permettra de vous démarquer et même d'aider autrui. Oprah Winfrey a souffert de son excès de poids, mais en osant avouer ses difficultés et partager ses expériences avec le public, elle en a aidé plus d'un aux prises avec la même problématique.

À l'âge de onze ans, j'ai reçu une poupée en cadeau. Entièrement fabriquée de chiffon et créée par les doigts de fée de ma grand-mère, elle était pour moi la plus jolie poupée du monde. Aujourd'hui, elle fait toujours partie de ma vie et plusieurs vous diront qu'elle est plutôt particulière avec ses cheveux roux, sa petite bedaine et ses gros pieds. Mais pour moi, elle est unique et vraiment très spéciale… Comme disait Oscar Wilde : « La beauté est dans les yeux de celui qui regarde. »

Peu importe votre allure physique ou votre personnalité, rappelez-vous que VOUS ÊTES BEAU ! Ne restez pas dans l'ombre. Ouvrez la lumière et brillez de tous vos feux ! Car c'est en apprenant à mieux se connaître qu'on est davantage en mesure de définir nos rêves et d'établir ce qui donnera un sens à notre existence.

Et si on fouillait
un peu plus loin ?

───❈───

« Il existe un trésor une richesse qui dort
Dans le cœur des enfants mal aimés
Sous le poids du silence et de l'indifférence
Trop souvent le trésor reste caché. »

Libérer le trésor
Paroles de Michel Rivard
Interprétée par l'auteur

───❈───

« Quand on regarde dans le miroir, on voit le masque.
Qu'est-ce qui se cache derrière le masque ? »
DIANE MARIECHILD

Il arrive parfois que nos valises soient plus difficiles à ouvrir… En aurions-nous délibérément bloqué le contenu ?

Laissez-moi vous raconter l'histoire de Thomas, un jeune garçon de six ans qui adorait dessiner. Il n'aurait fait que cela. Cette activité le passionnait totalement.

Un jour, à l'école, le professeur demanda aux élèves de sa classe de faire chacun un dessin. Thomas en était très heureux, mais il avait un peu peur puisqu'il était souvent le souffre-douleur de sa classe. Plus petit que la moyenne et plutôt timide, il avait tendance à faire rire de lui. Il se prêta tout de même à l'exercice avec beaucoup d'enthousiasme et il fit un magnifique dessin.

Au moment de le présenter devant sa classe, tous se mirent à se moquer de lui parce que, malheureusement, c'était ce qu'ils avaient l'habitude de faire. Thomas se dit alors qu'il ne devait pas être très doué en dessin puisque tout le monde l'avait ridiculisé. Il prit son œuvre, la chiffonna puis la jeta à la corbeille. À ce moment précis, il prit la décision de ne plus jamais dessiner. C'était trop douloureux, il valait mieux éviter ce genre de supplice.

Parvenu à l'âge adulte, Thomas était continuellement attiré par les œuvres d'art. Il finit par ouvrir sa propre galerie en admirant les artistes qui y exposaient. Mais toujours, il ressentait une espèce de vide à l'intérieur de lui-même, comme un travail inachevé ou un appel de l'âme que l'on n'ose écouter…

Un jour, alors que je suivais une formation en développement personnel, j'appris que nous possédons tous ce que nous pourrions appeler un « roc d'être ». Il s'agit de notre essence, de ce qui fait partie de nous, de notre potentiel qui cherche à émerger. Nous venons au monde pur et impatient de développer ce potentiel.

Demandez à un enfant de cinq ans ce qu'il veut faire plus tard. Il vous répondra qu'il sera astronaute, pompier, médecin ou tout ce qui le fascine. Il ne se demandera pas s'il en a les capacités, si cela exige de longues études, si le programme est contingenté ou encore s'il en retirera un salaire appréciable. Il écoutera plutôt son cœur et répondra sans trop de réflexion. À cet âge, il aura vraisemblablement d'autres rêves aussi et il croira encore que tout est possible, que rien ne saurait l'arrêter. Mais en grandissant, il apprendra à se conformer à certaines règles, subira des réprimandes et se mettra peut-être à croire ce qu'on lui dit, même si ce n'est pas vrai. Il voudra se protéger aussi et pour ce faire, aura tendance à adopter certains comportements, à s'affubler de certains masques… À ce sujet, je vous recommande de lire la trilogie de *La Grande Mascarade* par A. B. Winter, auteure québécoise absolument géniale, qui a su mettre par écrit une histoire fascinante pour nous aider à retrouver notre véritable identité.

Chris Widener, lui, dans son roman intitulé *L'Ange intérieur*, y raconte l'histoire de Michel-Ange qui, en réponse à la question : « Comment faites-vous pour créer de si belles sculptures ? », répondit : « Je ne fais rien d'autre que de libérer l'œuvre d'art qui se trouve déjà à l'intérieur du bloc de marbre ». Il disait enlever les couches superflues pour atteindre le trésor qui s'y cachait.

Et si c'était la même chose pour l'être humain? Plus je vieillis, plus je lis et j'expérimente la vie, plus j'en viens à me demander s'il ne s'agit pas là de notre véritable mission. Imaginez si chacun de nous découvrait qui il est vraiment et laissait émerger le meilleur de lui. Notre monde s'en trouverait grandement transformé.

Jacques Lépine, auteur de livres sur l'immobilier et l'indépendance financière, enseigne dans ses séminaires que la connaissance amplifie le pouvoir. Et quelle est selon vous la connaissance la plus fondamentale à détenir? Ne serait-ce pas de se connaître soi-même, comme l'a dit le grand philosophe Socrate?

Retour en enfance

⊷⊶

« *On garde toujours un cœur d'enfant*
Même quand on est devenu grand
Il y a ceux qui trichent
Et ceux qui se prennent au sérieux
Mais la vie reste quand même un jeu. »

Cœur d'enfant
Paroles d'Enrico Macias
Interprétée par l'auteur

⊷⊶

« Le génie, c'est l'enfance retrouvée à volonté. »
CHARLES BAUDELAIRE

Et si les clés de notre avenir résidaient dans notre enfance ? Peut-être aurions-nous intérêt à nous lancer dans une chasse aux trésors ? Ainsi, nous pourrions vérifier si nous ne nous sommes pas perdus en cours de route, si nous n'avons pas oublié ou empêché certains talents ou aspirations de naître…

Un jour, en faisant le ménage de mes photos, je suis tombée sur cette photo de moi à l'âge de cinq ans où, assise devant le téléviseur, je lisais un livre.

Prophétique me direz-vous? Oui, suffisamment pour que j'affiche cette photo sur mon réfrigérateur. J'avais l'impression que la petite Christine avait des secrets à me dévoiler… Et c'est ainsi que m'est revenue en mémoire toute une série de souvenirs d'enfance me permettant de mieux me connaître et me comprendre.

Essayez-le. Trouvez une photo de vous en bas âge et exposez-la dans un endroit où vous vous assurerez de l'apercevoir souvent. Soyez attentif, votre enfant intérieur pourrait en profiter pour vous lancer un message ou vous rappeler quelque chose d'important… Un objet de votre enfance pourra produire sensiblement le même effet. Ainsi, vous aurez créé un ancrage pour vous reconnecter en tout temps à votre cœur d'enfant.

On devient trop vite des adultes sérieux. On dirait qu'on ne réalise pas qu'il n'y a plus de parents pour nous surveiller et donc que nous sommes libres de faire comme bon nous semble. Votre vie est-elle amusante actuellement? Que faites-vous pour «lâcher votre fou», comme on dit? Quelle est la dernière folie que vous avez osé faire? Quelque chose qui aurait fait vibrer votre cœur d'enfant…

Petite, je rêvais du jour où je quitterais le foyer familial pour pouvoir enfin manger une glace au petit déjeuner, si telle était mon envie. Vous aurez compris que ce caprice m'était interdit à l'époque. En le disant publiquement lors d'une conférence, j'ai constaté que bien des années s'étaient écoulées depuis que je ne vivais plus chez mes parents, mais jamais encore je n'avais osé m'offrir un bol de crème glacée au petit déjeuner. Une participante se fit un plaisir de communiquer avec les recherchistes de l'émission *Salut, Bonjour! week-end* où je tenais ma chronique le lendemain matin. Et c'est avec un air de connivence que l'animateur de l'époque me servit un bol de ce délice glacé que je m'empressai de déguster avant même de présenter mes livres. Je me sentais vraiment comme une petite fille comblée!

Cet événement m'a tellement fait de bien qu'il me donna l'idée de le recréer pour ma famille lors des célébrations entourant la fête de Noël cette année-là. Je ressentais une certaine lassitude de cette folle frénésie d'achats et de cette multitude de cadeaux qu'on s'échangeait pour un plaisir très éphémère, nous ayant coûté un prix beaucoup trop élevé autant en argent qu'en énergie. Une invitation avait été envoyée à chacun de mes invités leur expliquant qu'ils s'apprêtaient à vivre un Noël différent, davantage relié à leur cœur d'enfant… Il y aurait effectivement un échange de cadeaux, mais chacun devait faire une petite recherche concernant la personne pigée. Il aurait pour mission de lui offrir une babiole lui rappelant un plaisir ou un rêve de son enfance.

Je me souviens encore de mon frère déballant son paquet de G.I. Joe, de ma mère avec sa jolie poupée ou encore de mon papa admirant son avion en modèle réduit. Encore une fois, nous avons eu droit à des éclats de rire, une myriade d'heureux souvenirs et de tendres moments. L'objectif était atteint, la fête de Noël venait de prendre une tout autre signification !

À la radio, chaque fois que nous ouvrons les circuits téléphoniques aux auditeurs pour parler de souvenirs d'enfance, que ce soit relié à la musique, les films ou les jouets, nous recevons toujours quantité d'appels et nous pouvons ressentir l'énergie positive qui s'en dégage. On dirait que notre cœur d'enfant vibre à nouveau et que la magie opère.

Je ne sais pas pour vous, mais moi ça me donne le goût d'aller relire mes œuvres de la Comtesse de Ségur et de visionner à nouveau *Le Magicien d'Oz* ou *La Mélodie du bonheur* ! Qui sait ? La petite Christine a peut-être encore des choses à me révéler…

Payée pour lire?

—∞∞∞—

« J'irai au bout de mes rêves
Tout au bout de mes rêves
J'irai au bout de mes rêves
Où la raison s'achève
Tout au bout de mes rêves. »

J'irai au bout de mes rêves
Paroles de Jean-Jacques Goldman
Interprétée par l'auteur

—∞∞∞—

« S'il veut être en paix avec lui-même, un musicien doit faire
de la musique, un peintre peindre, un poète écrire. »
ABRAHAM MASLOW

Pendant ma dépression, une amie m'invita à
l'accompagner à un séminaire de l'auteur Marc
Fisher intitulé *Les principes spirituels du bonheur et
du succès*. À cette époque, le mot « spirituels » dans le
titre me faisait un peu peur. J'avais poliment décliné

l'invitation en précisant que je ne tenais pas à me retrouver avec une bande d'illuminés. Ma copine, ayant plus d'un tour dans son sac, me convainquit d'y aller en m'assenant cet argument massue : «Au point où tu en es, Christine, ça ne pourra pas vraiment être pire!»

Voilà.

Tout avait été dit.

J'allais assister à cette fameuse journée.

Le matin du séminaire, Marc Fisher se présenta à nous en suggérant de nous lever et de nous prendre les mains pour faire hausser le niveau vibratoire de la salle en chantant le mantra de Dieu. «Om... Om...», répétions-nous tous en chœur. Une chance que nous nous tenions par la main, car je n'avais qu'une idée en tête : me sortir le plus rapidement possible de cette malencontreuse situation. Mais j'étais prise au piège! Ma copine tenait fermement (c'était le cas de le dire!) à ce que je reste gentiment à ma place.

Finalement, ce fut une des meilleures décisions de ma vie, car aussitôt que le taux vibratoire de la salle fut rehaussé, Marc Fisher nous parla du concept de la mission de vie. Selon lui, le chemin le plus facile pour la trouver consistait à définir notre passion, ce que nous aimions plus que tout. Vous savez cette activité que vous effectuez et qui vous fait perdre la notion du temps. C'est ce que vous feriez tout le temps, sans effort, même sans être payé parce que justement, vous aimez tellement cela.

Deuxièmement, il nous invitait à prendre conscience de notre talent unique. Il y a quelque chose que vous faites de mieux que la plupart des gens qui vous entourent (je vous entends, messieurs… mais non *faire l'amour* ne compte pas, même si vous essayez de me convaincre que c'est également votre passion, ce qui mène directement à la conclusion qu'il s'agit hors de tout doute de votre mission de vie!) Votre talent unique vous permet d'être remarqué, complimenté.

Rappelez-vous dans quelle circonstance, on vous dit: «Ça semble si facile pour toi de faire ça. On dirait que tu as fait ça toute ta vie!» C'est en combinant votre passion avec votre talent unique et en l'offrant au service des autres que vous accomplirez votre mission. Marc précisait cependant que la mission de vie ne se réalisait pas toujours nécessairement dans le travail.

Étant en dépression, en profonde recherche de moi-même et assez convaincue que je ne retournerais pas à mon emploi précédent, je me suis dit que ce serait quand même bien de trouver une façon d'être rémunérée pour accomplir ma mission (c'est de l'efficacité ça, non?)

De retour à la maison, je commençai à ridiculiser les enseignements (ben oui… j'ai fait ça!) de la journée en demandant à mon conjoint: «Qui accepterait bien de me payer pour lire?» Ma passion étant sans aucun doute la lecture. Dans mon étroitesse d'esprit de l'époque, je ne pouvais pas imaginer qu'une personne (en l'occurrence, moi!) puisse être confortablement étendue chez elle, un livre à la main pendant qu'une autre la payait pour exécuter cette tâche…

Pour la plupart, vous connaissez déjà la fin de cette histoire puisque j'ai effectivement trouvé de gentilles et généreuses personnes qui sont même heureuses de me payer pour lire. Et vous en faites partie puisque mes nombreuses lectures m'ont également inspiré l'écriture de ce livre !

Aujourd'hui, je prends conscience à quel point nous avons de la difficulté à préciser ce que nous désirons vraiment, du fond de notre cœur ou de notre âme, pour laisser la vie nous venir en aide et récolter les cadeaux qui nous sont destinés. Nous préférons essayer de tout gérer, de prévoir exactement la façon dont nous arriverons à nos fins pour nous retrouver épuisés la plupart du temps. Et à trop vouloir organiser les choses avec notre tête, nous finissons par ne plus croire que c'est possible.

Les plus beaux rêves que j'ai réalisés à ce jour ont trouvé leur force de manifestation dans l'identification du « quoi ? » et du « pourquoi ? » Dès que nous avons un désir ou un rêve, nous cherchons à définir ou organiser *comment* cela pourrait arriver. Malheureusement, parfois nous ne voyons pas plus loin que le bout de notre nez !

La vie est souvent plus créative et efficace que ce que l'on pense. D'ailleurs, si vous repensez à ces rêves que vous avez concrétisés, vous remarquerez probablement que les choses ne se sont pas passées comme vous l'aviez prévu. Des éléments-surprises viennent souvent aider ou accélérer le processus, des choses auxquelles vous n'auriez même pas pu songer. Voilà pourquoi il est important de toujours concentrer son attention sur notre « quoi ? » Demandez-vous le plus souvent possible : « *Qu'est-ce que je veux ?* » Allez vérifier, précisez-le pour vous assurer d'être au niveau du cœur et de l'âme.

Ensuite, vous pourriez vous demander : « *Pourquoi je le veux ?* » Le « pourquoi ? » viendra appuyer votre demande. C'est ce qui vous donnera la motivation nécessaire pour aller au bout de cette expérience. Il s'agit de votre engagement. Plus votre « pourquoi ? » sera fort et vous fera vibrer positivement, plus vous aurez de chances de réaliser votre rêve.

Le « pourquoi ? » puisera sa force dans le niveau d'écœurement par rapport à un aspect de votre vie. Ça dépend de votre tolérance au malheur en quelque sorte. Certaines personnes préfèrent demeurer dans une situation qui ne leur convient plus, mais qui est devenue en quelque sorte un malheur confortable.

Le changement fait souvent peur…

Par contre, au bout du rouleau, lorsque nous ne sommes plus en mesure de tolérer une situation malheureuse, nous sommes plus motivés à agir. Et il arrive aussi que la vie prenne les choses en main en provoquant un événement nous obligeant à passer à l'action ou à effectuer un changement…

Et si par hasard vous entreteniez la croyance qu'on ne peut bien gagner sa vie en faisant ce qui nous passionne, vous serez probablement impressionné par les résultats obtenus par Srully Blotnick.

Il y a quelques années, ce psychologue industriel a entrepris une étude auprès de 1500 jeunes diplômés. Parmi les deux énoncés suivants, les participants devaient choisir celui qui était le plus significatif pour eux face à leur choix de carrière :

1. *Choisir une carrière qui permettait de gagner beaucoup d'argent et ainsi s'assurer d'une sécurité financière.*

Ou

2. *Suivre leur passion et choisir une carrière en fonction de ce qu'ils aimaient faire.*

Sur les 1500 personnes interrogées, 1245 répondirent que le premier énoncé était plus important pour eux. Seulement 255 personnes choisirent le deuxième énoncé.

Vingt ans plus tard, lors d'un suivi de cette étude, M. Blotnick découvrit que 101 participants étaient devenus millionnaires. Sur ce nombre, 100 appartenaient au groupe de 255 ayant choisi leur carrière en fonction de ce qu'ils aimaient. Éloquent, non ?

Et vous ? Aimez-vous votre travail ? Vivez-vous dans le bonheur et la prospérité avec un sentiment d'accomplissement ou avez-vous plutôt hâte aux week-ends et à votre retraite pour commencer à vivre pleinement ?

Qu'est-ce qui vous passionne?

Que feriez-vous même si vous n'étiez pas payé pour le faire?

Qu'est-ce qui vous fait oublier le temps qui passe et vous permet de vous sentir libre et joyeux?

Prenez le temps de réfléchir à ces questions et de trouver les réponses. Elles vous ouvriront les portes du bonheur et de l'abondance.

Comme l'a dit Jean de La Fontaine : « Tout vient à point à qui sait attendre. » Par contre, qui a dit que l'on faisait référence ici à la patience? Et si le secret était dissimulé dans l'utilisation du verbe « savoir ».

Qu'est-ce que « savoir attendre », alors?

Pour moi, savoir attendre signifie, entre autres, l'état dans lequel nous sommes, les pensées et les émotions que nous entretenons, ainsi que les actions à accomplir. On pourrait profiter de cette période d'attente pour se préparer à recevoir... Et quoi de mieux que de faire son ménage pour repartir à neuf et faire de la place pour du nouveau!

Un ménage payant

« *Non, je ne regrette rien*
C'est payé, balayé, oublié
Je me fous du passé. »

Non, je ne regrette rien
Paroles de Michel Vaucaire
Interprétée par Édith Piaf

« Sortez du désordre, trouvez la simplicité. »
ALBERT EINSTEIN

Vous connaissez l'expression « le grand ménage du printemps » ? Le beau temps revient et avec lui un goût de renouveau. Avez-vous déjà remarqué comme on se sent bien après avoir nettoyé et mis de l'ordre dans nos affaires ? C'est comme si on nous enlevait un poids. Il paraît que lorsque nous mettons de l'ordre dans notre maison (ou ailleurs), d'une certaine façon, c'est comme si nous faisions la même chose à l'intérieur de nous. Le désordre matériel peut facilement encombrer notre esprit.

Le fait de nettoyer et de ranger nous procure un sentiment de maîtrise de notre vie. On a l'impression de reprendre le contrôle. On se sent prêt pour du neuf. Et on dirait que c'est à ce moment-là que la créativité se manifeste. Pourquoi ? Parce que nous avons créé un espace. C'est un des principes de la prospérité. Pour attirer davantage, il faut d'abord se libérer de ce qui nous encombre.

Et si on faisait du ménage ?

Voici un petit truc appris dans un livre (évidemment !) Faites le tour de chaque pièce et pour chaque objet qui s'y trouve, demandez-vous si vous le trouvez beau ou utile. Si ce n'est pas le cas, débarrassez-vous-en. Profitez-en également pour mettre de l'ordre dans vos affaires. Vous permettrez alors à l'énergie de mieux circuler et d'attirer plus rapidement ce que vous désirez. Cet exercice pourra être un bon préambule à une libération encore plus profonde.

Petite anecdote, alors que je suggérais ce truc en conférence, une dame leva la main pour me demander ce qu'elle devait faire de son mari puisqu'elle ne le trouvait plus beau ni utile… Pour l'instant, si vous le voulez bien, restons-en aux objets ! On reviendra un peu plus loin sur les êtres humains…

Donc, vous pourriez commencer par un tiroir, une armoire… Vous en apprendrez probablement encore un peu plus sur vous. Quelles sont ces choses que vous conservez depuis belle lurette et qui vous embarrassent aujourd'hui? Pourquoi avez-vous du mal à vous en départir? Quel est ce lien qui vous unit?

Allez-y à petite dose en vous débarrassant d'un peu à la fois et voyez dans quel état cela vous met. Si vous croyez comme moi que tout est énergie, alors offrez une nouvelle vie à ces choses qui vous sont devenues inutiles. Permettez-leur de remplir à nouveau leur mission... chez quelqu'un d'autre! Remerciez-les par la même occasion pour ce qu'elles vous ont apporté. Vous verrez qu'il s'agit là d'un puissant exercice de détachement qui nous aide à entretenir la gratitude.

À l'avenir, lorsque vous serez tenté d'ajouter quelque chose dans votre demeure, posez-vous la question: «*Moi, au fond, est-ce que j'ai vraiment besoin de cela?*» Vous serez probablement surpris de voir votre décor se transformer. Vous dépenserez assurément moins d'argent et d'énergie à conserver des trucs inutiles et vous gagnerez plutôt un doux sentiment de bien-être à vivre dans un environnement qui vous ressemblera davantage.

Aujourd'hui, je n'accumule plus autant de choses et chaque objet qui entre chez moi doit remplir une fonction utilitaire ou être un coup de cœur. Vous verrez comme ce processus est libérateur. Une nouvelle énergie pourra circuler et insuffler un vent de renouveau.

Ah oui... et pour cet affreux bibelot que vous avez reçu en cadeau et qui pollue votre vision depuis trop longtemps, mais dont vous n'osez pas vous départir de peur que la personne qui vous l'a offert ne soit vexée… Eh bien, posez-vous la question : combien de fois cette personne vient-elle chez vous au cours d'une année ? Et vous, combien de fois passez-vous devant cette chose en maugréant : « Mais c'est donc bien laid, ça ! » Vous saisissez le principe, je crois… DÉBARRASSEZ-VOUS-EN.

Au pire, vous pourrez toujours raconter au généreux donateur que vous vous êtes fait cambrioler ! N'est-ce pas ce qu'on appelle un « pieux mensonge » ?…

Un cadeau mal emballé…

———◈———

« *Tout va changer demain*
Tu n'as qu'à ouvrir les mains
Pour que de là-haut te tombe
En rafales une pluie de cadeaux
Sous un torrent d'étoiles
Demain il fera beau. »

Tout va changer
Paroles de Pierre Delanoë
Interprétée par Michel Fugain

———◈———

« Ce que la chenille appelle la fin du monde,
le reste du monde l'appelle un papillon. »
RICHARD BACH

Imaginez que c'est la période des fêtes et que
vous vous rendez chez un membre de votre famille
pour le réveillon. Au préalable, on vous a demandé

d'apporter un cadeau emballé, d'une valeur d'environ trente dollars.

Au cours de la soirée, les hôtes animent un échange où les participants ont la possibilité de se « voler » les cadeaux qui sont toujours emballés à cette étape. À la toute fin de l'exercice, le signal est donné et chacun peut enfin déballer son présent. Qu'arrive-t-il à ce moment ? Peut-être êtes-vous cette personne qui a choisi le plus gros cadeau ou le mieux emballé dans l'espoir d'y découvrir un trésor ? Vous pourriez être déçu…

Il se peut en effet que le trésor qui s'y trouve ne soit pas à la hauteur de vos attentes. Il se peut aussi que vous regardiez avec convoitise votre voisin déballer ce cadeau minuscule, emballé dans un papier plutôt moche, mais contenant un objet qui vous serait fort utile ou que vous trouvez absolument divin.

Les apparences sont parfois trompeuses et il arrive que les plus précieux cadeaux de la vie nous parviennent dans de drôles d'emballages… comme une dépression majeure… Par contre, plus on ouvre son cœur, plus on se connecte à son âme et on apprend à suivre le courant de la grâce, plus les cadeaux de la vie nous semblent présentés, comme une dame parée de ses plus beaux atours.

Je vous suggère de faire l'exercice suivant. Pour chaque passage difficile de votre vie, demandez-vous quel était le cadeau enfoui sous cet emballage. Si vous parvenez à le découvrir, vous vous assurerez de ne pas revivre ce genre d'expérience. La leçon sera maintenant apprise.

Toutefois, n'essayez pas de faire cet exercice si vous êtes en train de vivre une situation difficile. Ça prend du recul pour parvenir à «identifier» ses cadeaux mal emballés...

Je me souviens encore de ma mère qui, pour m'aider à traverser mes périodes plus sombres, me disait: «Ne t'en fais pas, tu ne t'en rappelleras plus le jour de tes noces!» Je dois être honnête avec vous, je me suis mariée et même divorcée, et je me souviens de tout. Désolée de te contredire, maman. Mais avec chacune de mes embûches, j'ai acquis de nouvelles forces, j'ai appris à me connaître davantage et j'ai développé des stratégies plus efficaces.

Je ne crois pas qu'on puisse parvenir à oublier complètement les blessures du passé. Cependant, à l'instar des cicatrices sur le corps, elles nous rappellent nos accidents de parcours, mais ne nous font plus souffrir. Elles sont guéries et font maintenant partie de nos apprentissages. Tout comme les rides sur le visage, elles témoignent d'une certaine sagesse, du temps qui passe et qui nous donne l'occasion d'évoluer...

L'identification de vos cadeaux mal emballés pourra également s'avérer un processus efficace pour apprendre à mieux vous connaître. Ce sera alors tout votre être qui commencera à se déballer tranquillement.

La vie est comme un jeu de piste, une chasse aux trésors en quelque sorte… Les façons d'apprendre à vous connaître, et surtout à vous libérer de ce qui vous entrave, pourront varier et même vous paraître plus ardues pour certaines, mais il se peut alors que le cadeau y étant dissimulé soit encore plus grand…

La vie peut être simple et facile. Ou non. C'est vous qui décidez !

Le pardon de manière inattendue

« *Je te demande pardon*
Car, je t'ai fait de la peine
Avais-je tort ou bien raison
Ça revient toujours au même
C'est dur de demander pardon
Et si tu lis ce poème
Tu comprendras que je t'aime
À t'en demander pardon. »

Pardon
Paroles de T. Shelton et B. Cannon
Interprétée par Alain Morisod et Sweet People

« Comprendre est la base. Accepter est le baume.
Pardonner est la guérison. »
HERVÉ BLONDON

Mon grand-père maternel était alcoolique. Il a bu une bonne partie de sa vie, surtout durant l'enfance de ma mère qui en a subi les conséquences. Pour cette raison, j'avais développé une profonde haine face à cet homme. Je ne pouvais accepter qu'il ait fait du mal à des personnes que j'aime par-dessus tout.

Puis un jour, je fis la rencontre de Georges, un homme d'une soixantaine d'années avec qui je développai une relation d'amitié. Nous avions l'habitude de nous retrouver à des ateliers sur le comportement des perroquets. Je venais d'adopter mon petit Chopin et lui en possédait plusieurs, dont un de la même race que le mien. À un certain moment, nous sommes allés visiter un refuge pour perroquets et nous avions convenu de partager la route. Alors que je lui demandais s'il avait des enfants, il me confia n'avoir plus aucun contact avec eux parce qu'avant, m'avoua-t-il, il buvait. J'étais triste pour lui car je percevais sa grande bonté et je me disais qu'aujourd'hui, il aurait fait un père et même un grand-père merveilleux.

Malheureusement, ses enfants n'étaient pas au courant de ce que leur père était devenu depuis qu'il avait cessé de boire. Et c'est à ce moment que j'eus l'impression d'être frappée par l'éclair. J'avais moi aussi un grand-père qui était sobre depuis de nombreuses années, mais à qui je refusais le pardon. Je ne lui permettais même pas de me démontrer sa vraie nature, celle de l'homme qui a dû mener un lourd combat pour tenter de se sortir d'une grande dépendance. Je ne voyais que son côté sombre. Je l'avais condamné, mais c'est moi qui en souffrais en entretenant constamment mon sentiment de haine.

Ne vous méprenez pas. Le fait de pardonner à mon grand-père ne l'a pas promu au rang de saint à mes yeux. Je me suis plutôt libérée d'un lourd fardeau. Et il était temps que je le fasse parce que mon grand-père était malade à l'époque et c'est peu de temps avant sa mort que je suis parvenue à lui dire que je l'aimais. Ce à quoi il m'a répondu : « Moi, je t'ai toujours adorée, mon fillon ». Cette scène de ma vie m'émeut encore aujourd'hui, ce qui me porte à croire qu'il était primordial pour moi d'accomplir ce geste. Merci à Georges de m'avoir aidée à faire la paix avec cette situation.

Au moment où j'écrivais ces lignes et alors que je me demandais s'il était à propos de mettre cette histoire du pardon par écrit, j'ai reçu ce que je considère comme un clin d'œil de mon grand-père. J'assistais à une conférence avec mes parents et ma grand-mère, et à la pause café, j'ai aperçu des biscuits « Coco au lait » sur la table, ceux-là mêmes que j'avais l'habitude de manger en compagnie de mon grand-papa lorsque j'étais petite. Je me suis dit que le temps était venu de raconter cette histoire en espérant qu'elle soit utile à certaines personnes…

La façon de pardonner pourra certainement différer pour chacun, mais je pense que l'important consiste à ressentir la libération pour nous permettre de laisser ce fardeau de côté et de reprendre notre envol.

La plus belle illustration du pardon que j'ai trouvée à ce jour, je l'ai lue dans le roman *Le Shack* de W. Paul Young. Pour l'auteur, le pardon consiste simplement à enlever nos mains autour du cou de celui que nous aimerions parfois égorger tellement il nous a fait du mal. Nous n'avons pas besoin de nous mettre à l'aimer, seulement à nous libérer de la charge et du lien négatif qui nous unissent à lui. Nous pourrions en récolter d'immenses bénéfices.

Une amie a la gentillesse de régulièrement me rappeler que tout est parfait. Il peut toutefois s'avérer ardu de discerner la perfection dans certaines situations… Pourtant, chaque événement et d'ailleurs chaque rencontre a pour but de nous faire évoluer. Chacun joue son rôle. Certains ont obtenu des rôles plus difficiles à jouer… Pas toujours évident de remplir la fonction du méchant… Personne ne peut être fondamentalement mauvais. Plusieurs ont été blessés en revanche. Des carapaces se sont construites et des gestes en découlent.

La seule issue réside dans l'amour. L'amour de soi d'abord pour décider de s'aider et de se donner les moyens de guérir nos blessures. L'amour des autres par la suite pour parvenir à mieux les comprendre et à déceler leur lumière parfois profondément ensevelie à l'intérieur… Pensez à vos réactions lorsque vous êtes choqué ou blessé. On a parfois quelques regrets par la suite… Nos réactions sont humaines, mais elles peuvent également se diviniser avec le temps…

Que ferait l'amour?

―∞∞―

« *Quand on n'a que l'amour*
Pour unique raison
Pour unique chanson
Et unique secours. »

Quand on a que l'amour
Paroles de Jacques Brel
Interprétée par l'auteur

―∞∞―

« L'amour ne requiert pas de pratique.
L'amour est.
On ne peut pas s'exercer à être.
Mais on peut cependant se pratiquer à choisir l'amour. »
EMMANUEL

Que ferait l'amour, Christine? Voilà la phrase que me répétait une religieuse à l'école secondaire lorsque je lui confiais mes problèmes et mes questionnements. Elle me rappelait que la meilleure des solutions existait toujours au niveau de l'amour. Merci, ma sœur! Ce fut long, mais je commence à saisir la leçon…

Lorsqu'une personne nous blesse ou qu'une situation ne nous convient pas, nous avons souvent la réplique facile, mais pas nécessairement celle qui trouve sa source dans l'amour…

Toutefois, il n'y a rien de plus grandiose et de plus guérisseur que l'amour. L'amour possède un extraordinaire pouvoir neutralisant et permet de transformer instantanément bien de fâcheuses situations. J'ai appris avec les années à réagir moins promptement pour me donner le temps de me poser la question : « *Que ferait l'amour ?* »

Au cours de ma carrière d'animatrice de radio, j'ai eu à travailler avec différents types de personnalité et je peux vous dire que la tension peut monter rapidement lorsque nous sommes confinés dans un espace restreint et hermétique. Lors d'une période fort importante à la radio, soit en début de sondages BBM, un de mes collègues de travail m'avait écrit une lettre remplie de reproches de toutes sortes. Évidemment, sur le coup, j'étais profondément blessée et je ne comprenais absolument pas pourquoi je devais vivre pareil affrontement. J'ai laissé retomber la poussière comme on dit et je n'ai pas répondu immédiatement. Vous l'aurez deviné… je me suis demandé ce que ferait l'amour en pareilles circonstances. Pas facile d'y répondre !… En fait, j'aurais peut-être même préféré ne pas me poser la question.

Dans les jours et les semaines qui ont suivi, je me suis attardée à concentrer mon attention sur les qualités de mon collègue. Je faisais tout mon possible pour ne pas demeurer dans ma blessure, mais plutôt tenter de voir au-delà de la situation. Je me rappelle encore les sages paroles de mon amoureux qui m'encourageait à m'élever plutôt que de me laisser abattre. Il est beaucoup plus facile de survoler une montagne que de tenter de passer à travers… Et c'est en se hissant au niveau de l'amour qu'on aide l'autre à s'élever aussi. C'est gagnant-gagnant, comme on dirait en affaires !

En prenant de l'altitude ensemble, mon collègue et moi sommes effectivement parvenus à mieux nous connaître et à nous apprécier. À ce jour, je considère que cette expérience a été mon plus bel apprentissage relationnel. Je conserverai toujours un excellent souvenir de cette personne avec laquelle j'ai eu la chance d'apprendre à aimer authentiquement. Je n'aurais certainement pas pensé cela au moment où je lisais sa lettre de reproches… Comme quoi, encore une fois, on pourrait dire qu'il s'agissait d'un cadeau mal emballé.

Vous récolterez une grande fierté et un sentiment de satisfaction en agissant de la sorte, et vous deviendrez très inspirant pour les gens autour de vous. Imaginez si chacun commençait à interagir davantage au niveau de l'amour. Je suis convaincue que le monde s'améliorerait très rapidement.

Alors, concrètement, j'ai pris l'habitude de regarder chaque être humain avec amour en recherchant d'abord ses qualités. Je fais la même chose par rapport aux événements de la vie, en mettant l'accent sur le côté positif des choses et en me rappelant que tout est parfait de toute façon. Il suffit de peu pour mettre la lumière sur une situation. Pensez à une toute petite chandelle qui, sitôt allumée, chasse à elle seule l'obscurité…

En guise de conclusion, permettez-moi de vous raconter cette anecdote à propos des religieuses de mon enfance… Lorsque j'étais à l'école secondaire, les religieuses nous suggéraient d'être attentives, car il se pouvait que le Seigneur nous appelle. Pour tout vous dire, j'avais la trouille parce que j'étais convaincue qu'Il m'appellerait. Je me considérais comme une bonne fille et j'étais très attirée par la spiritualité. Aujourd'hui, j'ose espérer que j'ai répondu à l'appel… surtout après avoir écrit ce chapitre !

Guérir de la « Stacose »

⸻

« Telle est ma quête
Suivre l'étoile
Peu m'importent mes chances
Peu m'importe le temps
Ou ma désespérance. »

La Quête
Paroles de Jacques Brel
Interprétée par l'auteur

⸻

« Que se passe-t-il quand vous prenez votre vie en main ?
Une chose terrible se produit :
il n'y a plus personne à blâmer. »
ERICA JONG

Connaissez-vous cette maladie fort répandue au Québec (et probablement ailleurs aussi) qu'on appelle la « Stacose » ? Peut-être en souffrez-vous ? En voici quelques symptômes, pour vous aider à établir votre propre diagnostic :

- tendance à se plaindre souvent pour tout et pour rien;
- facilité à jeter le blâme sur autrui, à critiquer les autres ou les événements;
- propension à fuir ses responsabilités.

L'appellation «Stacose» tire ses origines de la phonétique des réponses habituellement données par ceux qui en souffrent. Si vous leur demandez pourquoi ils n'ont pas réussi, ils vous répondront que «c't à cause» d'une multitude de raisons... En fait, rien n'est jamais de leur faute, mais plutôt *à cause* de quelqu'un ou de quelque chose!

Nous avons tous nos épisodes de «Stacose». C'est tellement plus facile parfois de se plaindre et de ne pas prendre nos responsabilités. Toutefois, notre pouvoir personnel réside en grande partie dans cette responsabilisation. Si vous voulez déployer votre potentiel et réaliser vos rêves, vous avez tout intérêt à prendre conscience de ce fait: VOUS ÊTES LE MAÎTRE D'ŒUVRE DE VOTRE VIE. Si les choses ne vont pas comme vous le voulez, VOUS AVEZ LA POSSIBILITÉ DE LES CHANGER. J'ai déjà lu quelque part que la meilleure façon de prédire notre avenir consistait à le créer.

Lorsque nous avons l'impression d'être dans une impasse, que les rêves tardent à se réaliser, demandons-nous si nous ne sommes pas en train de bloquer le processus en quelque sorte... «Get out of the way!», diraient les Américains. Oui, nous pourrions nous « ôter de là » ou nous demander pourquoi nous entravons le processus ?

Alors, avant d'accuser les gens ou les événements, posons-nous la question : « *Et si c'était moi le responsable ?* » Par la suite viendrait une deuxième question : « Est-ce que je pourrais faire les choses autrement ? Habituellement, les réponses ont tendance à venir en même temps que les questions, mais il faut être attentif pour les percevoir.

Une chose est certaine, nous sommes plus libres et puissants que nous ne le croyons. C'est en devenant conscients et responsables que nous évoluerons davantage vers le bonheur profond et durable. Nous aurons alors l'impression d'être mieux équipés pour passer à travers les aléas de la vie et nous développerons la confiance en nous.

Je dois remercier Jean-Michel Anctil ici puisqu'il est le premier à m'avoir parlé de la « Stacose ». Nous étions alors sur un terrain de golf et vous ne serez pas surpris d'apprendre que cette maladie fait des ravages au sein de ce sport.

Pensez à toutes ces fois où la glorieuse petite balle blanche n'atteint pas sa cible en raison d'un effrayant cours d'eau, d'un arbre mal placé ou d'un autre joueur qui a eu le malheur d'émettre un son précisément au moment où le coup était frappé. C'est toujours *à cause* d'un élément de la nature, du matériel utilisé ou d'un autre joueur. Ce n'est certainement pas *à cause* de nous et de notre mauvais jeu !

La «Stacose» peut également mener à des comportements plutôt bizarres laissant croire à la personne atteinte qu'elle doit donner des leçons aux autres... Dans ce cas, la personne acceptera sa responsabilité, mais croira tout de même préférable d'aller régler certains comptes. Notez que c'est avec beaucoup d'amour que je vous fais part de ma propre conception de cette propension à jouer la victime ou le tyran. Ça nous arrive tous un jour ou l'autre, en fonction des circonstances.

Je me rappelle d'ailleurs cette gentille dame qui me racontait avoir subi une injustice de la part d'un vendeur. En discutant de la situation, elle s'aperçut qu'elle avait en quelque sorte attiré cet événement. Toutefois, elle demeurait convaincue qu'elle devait rappeler le vendeur en question, car disait-elle, il était primordial qu'il saisisse sa leçon à lui. Je lui suggérai plutôt de ne pas le faire. Nous en avons bien assez de nos leçons de vie. Ne prenez pas le sort du monde sur vos épaules. Commencez par vous occuper de vous-même. Ce sera déjà beaucoup!

Enfin, il arrive aussi que la «Stacose» soit grandement entretenue par un personnage à l'intérieur de nous... Vous savez cette petite voix critique qui nous souffle à l'oreille...

Mon amie Pierrette

— ⁂ —

*« Maudit que le monde est beau
dans les vitrines les magazines (…)
Mais Pierrette se trouve lette
a fait de la bicyclette tous les samedis
Oh la Pierrette qui pédale attends-nous donc… »*

Maudit que le monde est beau
Paroles d'André Fortin
Interprétée par les Colocs

— ⁂ —

«Personne ne peut faire en sorte que vous vous sentiez
inférieur sans votre propre consentement.»
ELEANOR ROOSEVELT

Il y a quelques années, voulant aider une amie qui
souffrait beaucoup en raison de cette voix critique
à l'intérieur d'elle, j'eus l'idée de lui écrire une lettre
de mise à pied s'adressant au «petit diable sur son
épaule». J'imaginais qu'on avait un petit ange sur

une épaule et un petit diable sur l'autre, et qu'ils pouvaient facilement nous rendre fous à force de s'obstiner ensemble. Je croyais alors qu'il suffisait de mettre le petit diable à la porte pour régler la situation et surtout rétablir l'harmonie.

Ce n'était pas la bonne façon de faire car comme on dit, ce que l'on fuit a tendance à nous poursuivre… Je n'avais pas à mettre le petit diable à la porte, mais plutôt à l'apprivoiser et à devenir consciente du rôle qu'il joue. Pour mieux illustrer cette merveilleuse prise de conscience, l'idée m'est venue de me créer un personnage. C'est la petite fille de cinq ans à l'intérieur de moi qui a l'habitude de s'inventer un monde ou des histoires lui permettant de mieux se comprendre…

Je me suis dit que si je parvenais à bien l'identifier et la connaître, je pourrais mieux vivre avec cette voix critique. Comme elle me rappelait vaguement une femme que j'ai connue par le passé, je lui ai donné le même prénom. Elle s'appelle Pierrette et elle me surveille de près! Elle analyse tout ce que je fais et elle est souvent peureuse et négative. Il lui arrive même de me chuchoter des bêtises à l'oreille lorsque je suis en conférence.

Au début, j'avais tendance à me mettre en colère et à me laisser atteindre par ses remontrances. Puis, un jour, mon amoureux a eu une idée de génie. Juste avant une conférence où j'étais particulièrement ner-veuse, il me conseilla de m'imaginer Pierrette assise dans la salle juste devant moi. Elle allait maintenant écouter ce que j'avais à lui dire. Cette soirée fut absolument magique. Et pour la première fois, j'ai eu l'impression que Pierrette et moi, nous pouvions devenir des amies.

D'ailleurs, j'ai vécu une période récemment où j'oubliais un tas de choses, j'étais vraiment distraite et même insouciante. Mais où était donc passée ma Pierrette? Avait-elle décidé de prendre des vacances de moi? Je devais sûrement l'emmerder moi aussi avec mon positivisme et mon désir de lâcher-prise! Au fond, je l'empêchais de jouer son rôle... Néan-moins, à bien y penser, ni elle ni moi n'étions mau-vaises en soi. Nous étions, tout simplement, et c'est notre mental qui interprétait en voulant apposer ses étiquettes. Alors, je dois l'avouer, je me suis mise à m'ennuyer de Pierrette. J'ai réalisé qu'elle me proté-geait en quelque sorte. Elle m'aidait à être plus alerte pourvu que je ne me laisse pas envahir par ses peurs.

Aujourd'hui, j'apprends à aimer chaque partie de moi, autant la victime que la persécutrice. Je les laisse interagir et jouer leur rôle tout en demeurant aux commandes de ma vie. Et c'est de cette façon que je peux me rapprocher de qui je suis vraiment en laissant émerger le meilleur de moi.

Je suis au bon endroit
et tout va bien !

──❈──

« Quand on y pense
Quand on la suit
Quelle belle vie
Quand on s'élance
Et qu'on la saisit
Quelle belle vie. »

Quelle belle vie
Paroles de Gilles Rivard et Pierre Légaré
Interprétée par Gilles Rivard

──❈──

« Il n'y a personne qui soit né sous une mauvaise étoile,
il n'y a que des gens qui ne savent pas lire le ciel. »
LE DALAÏ-LAMA

Avez-vous déjà pensé que nous sommes bien plus
que notre histoire ? Je vais peut-être vous fâcher

par mes propos, mais je crois que nous cherchons trop souvent à nous faire plaindre ou à attirer l'attention sur nos blessures du passé. Les expériences du passé ont peut-être été enregistrées, mais nous ne sommes pas obligés de nous rejouer sans cesse la même cassette. Pourquoi ne pas plutôt en enregistrer une nouvelle?

Il ne sert absolument à rien de rester accroché à nos difficultés, nos échecs ou nos blessures. Notre pouvoir réside dans le moment présent et c'est à chaque instant que nous avons la possibilité de prendre un nouveau départ et de mieux nous rediriger vers là où nous désirons aller.

On pourrait comparer cela à l'utilisation d'un GPS (système de positionnement mondial). Lorsque vous prenez une mauvaise sortie sur l'autoroute par exemple, et que vous vous retrouvez perdu, vous n'avez qu'à établir l'endroit où vous êtes actuellement et refaire votre itinéraire de cet endroit à la destination choisie. Le GPS ne va pas vous demander ce que vous avez fait avant ou encore pire, il ne va certainement pas vous critiquer. Comme dans la vie, il n'aura besoin que de deux seules informations: l'endroit où vous vous trouvez maintenant (moment présent) et la destination choisie (votre but ou votre rêve).

Chaque fois que je me mets à ressasser mon passé et mes difficultés, je me rappelle que tout va bien et que je suis exactement au bon endroit en ce moment. Je me rappelle surtout que le passé est justement… passé! Et que je ne peux rien y changer. Par contre, je peux jouir du présent et même planifier mon avenir. C'est déjà beaucoup !

Se délester de son passé permet encore une fois de se libérer, d'enlever des lourdeurs, comme des boulets qui ralentissent notre rythme quand ils ne nous empêchent pas carrément d'avancer. C'est en s'allégeant qu'on prend de l'altitude !

Il en va de même pour les inquiétudes. Vous savez ces scénarios négatifs qu'on élabore parfois ? Essayez de vous défaire de cette mauvaise habitude. Quand on y pense, a-t-on vraiment envie de s'en faire continuellement, d'être stressé et inquiet ou ne préférons-nous pas vivre pleinement chaque journée en profitant de tous ces petits moments qui passent, en nous amusant et en prenant la vie à la légère ?

Je sais que je peux paraître casse-pieds pour certains membres de mon entourage, mais chaque fois qu'on me parle d'inquiétudes, je change de sujet. Cela ne sert à rien. Car, à force de s'inquiéter de tout, on finit par attirer les tracas… Est-ce vraiment ce que vous désirez ?

En réponse à une collègue de travail qui, un jour, me confiait avoir peur de perdre son emploi, je lui suggérai de ne pas s'en faire. Cela ne sert strictement à rien. S'inquiéter n'apporte aucune solution, bien au contraire. On risque davantage d'attirer exactement ce que l'on ne veut pas. Je lui proposai plutôt de continuer à donner le meilleur d'elle-même en prenant plaisir à ce qu'elle faisait. Et si jamais elle perdait finalement son emploi, elle pourrait alors adopter le credo de mon grand-père, qui disait : « Je m'appelle Ti-Joe Meilleur. Si ça ne fait pas ici, ça fera ailleurs!» Même lorsque nous avons l'impression d'avoir tout perdu, il nous reste encore ce qu'il y a de plus précieux. Jamais personne ne pourra nous enlever ce que nous possédons à l'intérieur, cet inestimable trésor que l'on découvre au fil de notre existence.

Dorénavant, essayez de vous programmer positivement plutôt que de vous mettre des bâtons dans les roues. Devenez votre meilleur ami, celui qui vous rappellera que tout va bien. Vous pourriez même jouer avec la programmation en vous jetant des sorts positifs, en vous faisant croire que de merveilleuses choses vont vous arriver.

Commencez-vous à avoir une vue d'ensemble? Si on apprend à bien se connaître et qu'on laisse émerger notre potentiel en faisant toujours de notre mieux et en demeurant dans le moment présent, nous vivrons ce qui se présente en se disant que tout est parfait. Et c'est en vivant de cette façon que nous récolterons les plus beaux cadeaux que la vie peut nous offrir. Ce sera tellement plus facile et agréable.

D'ailleurs, un petit conseil supplémentaire, soyez cet ami magicien pour les gens qui vous entourent et que vous aimez. Amusez-vous à leur prédire leur avenir positivement! Soyez celui qui dit: «Je suis certain que ça va marcher!» Vous déposerez alors de belles semences dans l'esprit des gens.

Un sort positif

━━━◦◦◦━━━

« *Toute ma vie dans une main*
Mais l'autre est libre
Et elle me montre le chemin
Encore et toujours en quête
J'suis pas encore devenu
Ce que j'voulais être. »

Jeter un sort
Paroles de Laurence Jalbert et Guy Rajotte
Interprétée par Laurence Jalbert

━━━◦◦◦━━━

« C'est avec ses pensées qu'un homme façonne sa vie. »
MARC AURÈLE

Aimeriez-vous tenter une expérience ? Transformez-vous en Fée Morgane ou en Merlin l'Enchanteur et exercez-vous à vous jeter des sorts. Des sorts positifs, bien sûr !

Par exemple, lorsque j'aperçois un sou noir par terre, je m'assure de le ramasser en me disant qu'il m'annonce une rentrée d'argent imprévue. J'avoue m'être souvent retrouvée dans des situations embarrassantes comme cette fois où, dans la file à l'épicerie, j'attendais obstinément qu'une dame ôte son pied sur le sou que je convoitais. Et cette autre fois où j'ai passé plusieurs minutes accroupie au sol face à l'entrée principale de la station de radio où je travaillais parce que je venais de tomber sur une vraie fortune. On aurait dit que quelqu'un y avait vidé ses poches, des sous noirs, mais aussi des dix cents, des vingt-cinq cents que je me dépêchai de ramasser pendant que mon collègue arrivait à mes côtés en me demandant si j'avais besoin d'argent à ce point!

Plus je lis sur le pouvoir de notre subconscient et plus j'expérimente ces enseignements dans ma vie, plus je trouve fascinant de constater à quel point nous pouvons nous programmer facilement. Je me rappelle d'ailleurs avoir utilisé une programmation particulière pour mon perroquet lorsqu'il a été hospitalisé pour une toxine au foie.

Un soir où je rendais visite à Chopin chez le vétérinaire, on m'apprit que la nuit à venir serait peut-être fatidique. J'étais dévastée et je ne savais trop comment faire pour aider ce petit être ailé à recouvrer la santé. Il était tout recroquevillé dans sa cage réussissant à peine à ouvrir un œil pour me regarder.

Comme j'avais l'habitude de le faire, je demandai l'aide des anges et dans ce cas précis, de saint François d'Assise puisqu'on le disait très près des animaux. Puis, j'eus une idée… J'ai alors raconté à Chopin qu'il y avait une myriade de petites fées dansant autour de sa cage. Elles étaient là pour veiller sur lui et accélérer sa guérison. Avec leurs baguettes magiques, elles disséminaient une multitude de minuscules étoiles qui allaient tout doucement se déposer sur son corps. Ces étoiles s'activeraient à l'intérieur de lui pour lui permettre de guérir complètement.

Ainsi, le simple fait d'inventer cette histoire et de la raconter à mon perroquet m'apporta réconfort et soulagement. Tout d'un coup, je n'étais plus submergée par mes peurs et ma peine, mais je venais de basculer vers la possibilité d'une guérison. Je quittai la clinique vétérinaire ce soir-là le cœur plus léger comme si je savais que Chopin était maintenant pris en charge. Le lendemain, en appelant à la clinique, on m'annonça qu'étrangement mon perroquet commençait à aller mieux. Il avait même recommencé à manger.

Qu'est-ce qui explique ce changement subi? On ne peut le savoir avec certitude, mais une chose est sûre, la petite histoire, ou programmation positive, a probablement aidé si ce n'est qu'à me sortir de mon état de panique et de tristesse, et de permettre à la vie de prendre le relais.

Nos émotions jouent un grand rôle dans notre potentiel d'attraction et même de guérison. D'ailleurs, Chopin n'était pas tombé malade tout à fait par hasard dans cette période. C'était à l'époque où je vivais des difficultés conjugales que je cachais à mon entourage dans l'espoir que les choses s'arrangent.

Juste avant ce moment où je racontai l'histoire des fées à Chopin, j'avais perdu toute contenance dans le bureau du vétérinaire. Ne comprenant probablement pas que l'état de mon perroquet me plonge dans une détresse pareille, il me demanda comment j'allais moi. « Pas très bien… », lui répondis-je avant de lui avouer la situation dans laquelle je me trouvais et le fait qu'il soit la seule personne à le savoir. Après m'avoir gentiment écoutée, il me proposa un pacte. Il me promit de faire tout son possible pour sauver la vie de Chopin à condition que je fasse la même chose avec la mienne !

Aujourd'hui, Chopin et moi allons très bien et je prends bien soin de régler mes problèmes au fur et à mesure en me confiant ou en allant chercher de l'aide. Je le fais pour moi, mais aussi pour mon perroquet qui semble être le parfait miroir de mes émotions…

Saint Joseph s'en occupe !

« Et si c'était vrai, si c'était vrai
Qu'est-ce qu'on en ferait
Si c'était vrai, si c'était vrai
Est-ce qu'on y croirait ? »

Et si c'était vrai
Paroles de France D'Amour
Interprétée par l'auteure

« Si tu peux croire, tout est possible à celui qui croit. »
(MARC 9, 23)

Lors de l'achat de ma nouvelle maison, j'ai repris contact avec une amie notaire pour les besoins de la cause. Après s'être remises à jour par rapport à nos vies respectives, elle me demanda de l'aider à régler un léger problème qui commençait à lui causer un surplus de stress.

Sa maison était à vendre depuis quelque temps déjà, mais sans succès. Elle croyait à la visualisation et disait avoir déjà essayé bien des trucs, mais ne comprenait pas pourquoi cela ne fonctionnait toujours pas. C'était l'occasion idéale pour la sortir un peu de sa zone de confort et lui faire faire un truc plus fou en quelque sorte.

Je me souvenais d'une animatrice de radio qui, sous les recommandations d'une fidèle auditrice, avait finalement vendu sa maison après avoir planté une statuette de saint Joseph, la tête à l'envers, au pied de sa pancarte à vendre. J'avais tellement ri en voyant les photos de cette vedette québécoise mettant son saint Joseph en terre ! Je suggérai donc à ma copine d'essayer ce truc. Et je lui rappelai de complètement lâcher prise par la suite en se disant que de toute façon, saint Joseph s'en occupait.

Peu de temps après cette plantation inusitée, je reçus un appel de mon amie me confirmant que saint Joseph avait bien rempli son mandat. Il pouvait maintenant compter sur une place de choix dans sa nouvelle maison.

Aujourd'hui, quand j'y pense, cette histoire me fait sourire… Que s'est-il réellement passé ? Est-ce vraiment saint Joseph qui a fait une différence ? Cela dépend de nos croyances en quelque sorte…

Si on s'amuse à analyser la situation, on peut y déceler une multitude d'éléments susceptibles d'avoir joué un rôle dans cette histoire. Si vous avez été programmé à penser qu'un saint peut faire des miracles pour vous, vous avez toutes les chances que cela fonctionne. Ce pourrait être aussi l'influence d'une personne que vous admirez particulièrement. Vous vous direz : « *Si cela fonctionne pour elle, cela marchera certainement pour moi aussi !* » Ou encore, après avoir essayé plusieurs tactiques, lorsqu'une idée nouvelle est proposée, elle nous semble souvent la solution miracle et produit des résultats en conséquence. Fascinant, n'est-ce pas ? C'est stimulant surtout parce que cela nous donne beaucoup d'espoir. Ça nous incite à vouloir innover dans notre vie… Personnellement, je n'ai pas le « bouton découragement » très actif dans mon système. Lorsque quelque chose ne fonctionne pas comme je le souhaiterais, je me dis qu'il s'agit là d'une occasion d'être encore plus créative, de sortir de ma zone de confort et de faire une formidable découverte.

Je repense à tous ces gens qui m'envoient des courriels m'affirmant qu'ils ont trouvé leur recette miracle dans un livre, que tout le monde devrait faire exactement comme eux. C'est très louable de vouloir aider ainsi, mais ai-je besoin de vous rappeler que nous sommes tous différents, dotés de programmations et de croyances diverses, et donc nous ne réagirons pas nécessairement aux mêmes choses. Par contre, il existe une façon de savoir avec certitude si ce qu'on vous propose est bon pour vous. Personne d'autre que vous ne pourra vous le confirmer puisque ce truc infaillible se situe au niveau de votre ressenti et de vos vibrations. Si ce que vous entendez ou ce que l'on vous présente vous allume et vous fait sentir comme un enfant à qui l'on offrirait un nouveau jeu, vous aurez assurément bien du plaisir à essayer le truc en question. Vous devez ressentir que cela va vous aider… comme une intuition… Dans le cas contraire, abstenez-vous ou faites autre chose. Vous aurez alors économisé temps et efforts.

Parlant d'efforts, je ne suis pas de ceux qui adhèrent au principe stipulant qu'il faut travailler dur dans la vie pour réussir ou parvenir à nos fins. Vous savez les phrases du genre : « La vie est un combat, combattons ! » ou « Il n'y en aura pas de facile. » Pensez-y ! Avez-vous vraiment l'intention de croire à ce genre de choses ? À l'intérieur de moi se trouve une fillette de cinq ans qui n'a pas du tout envie de devenir trop sérieuse et d'avoir une vie rangée qui demande constamment des efforts et des compromis. Je choisis de ne pas croire à cela (j'ai l'impression d'en entendre certains répliquer…).

Je préfère de loin la voie facile, non pas celle de la paresse, mais celle du courant de la grâce. Il s'agit pour moi d'une nouvelle forme d'intelligence à développer. Pour y parvenir, on doit apprendre à se connaître et à se connecter à notre âme et ce qui la fait vibrer. Par la suite, ce sera plus facile de mesurer si vous vous situez dans la joie et l'agrément. On pourrait l'appeler le « joyeux détecteur », pièce fondamentale à notre fonctionnement si l'on désire vivre une vie agréable et abondante.

Aujourd'hui, grâce à mon « joyeux détecteur », lorsqu'on me propose quelque chose, je me demande immédiatement si je le souhaite vraiment. S'il s'agit d'une tâche à effectuer qui me tente moins, je cherche alors une façon plus agréable de la percevoir ou de l'effectuer. Suis-je vraiment obligée de faire cela ? Sinon, est-ce que quelqu'un d'autre peut le faire à ma place ? Ou existe-t-il une manière plus réjouissante pour moi de le faire ? Ce genre de questionnement amènera inévitablement des réponses innovatrices. Et comme pour tout changement, il faut parfois se donner le temps de développer cette nouvelle habitude. Avec le temps, vous vous apercevrez de ses bienfaits. Plus on cherche le bonheur et la facilité, plus on les trouve !

La puissance de nos relations

« *Toucher ta main*
Revoir ton sourire
Tu me manques
Quand tu te moques des travers
De cette jolie vie sur terre
Tu m'fais du bien. »

Tu me fais du bien
Paroles de Daniel Bélanger
Interprétée par Luce Dufault

« Mon meilleur ami est celui qui fait ressortir
ce qu'il y a de meilleur en moi. »
HENRY FORD

Il doit y avoir une bonne raison pour laquelle nous ne sommes pas seuls sur cette terre. C'est probablement parce que nous avons à interagir les uns avec les autres. Toutefois, nous avons également la possibilité de choisir nos partenaires dans cette aventure.

Les gens peuvent avoir une grande influence sur notre vie et donc, nous avons tout intérêt à côtoyer davantage ceux qui seront les plus inspirants, les plus aimants. Saviez-vous que le poisson rouge grandit selon la grosseur du bocal dans lequel il se trouve ? On pourrait dire que son milieu de vie l'influence jusqu'à l'amener à croître davantage. On peut faire un parallèle ici avec l'être humain.

Jean Lafrance est prêtre du diocèse de Québec et fondateur des *Œuvres Jean Lafrance*, un organisme qui s'occupe des jeunes en difficulté. Un jour, j'ai eu l'occasion de faire une entrevue avec Jean à la télévision. Je lui avais alors demandé quel était selon lui le secret de son succès auprès de ces jeunes. C'est ainsi qu'il me parla de la puissance des relations que nous entretenons.

Lorsqu'un jeune provenant d'un milieu difficile, violent ou corrompu (drogue, prostitution, etc.) entre dans une maison des *Œuvres Jean Lafrance*, il doit couper complètement les liens avec les gens qui l'entourent et qui exercent une mauvaise influence sur lui. Jean l'accepte alors tel qu'il est, sans se préoccuper de son passé. Il axe tous ses efforts sur le présent et l'avenir en lui procurant un milieu de vie stable où l'amour inconditionnel prend tout son sens.

Cette histoire prouve à quel point il est important de s'entourer de bonnes personnes. Comme moi, vous avez sûrement déjà connu des « briseurs de rêves», ceux qui ne croient pas en nous et qui trouvent toujours la raison pour laquelle on ne devrait pas réussir. Vous savez ce genre de personne à qui vous allez confier un projet ou un rêve et qui va vous énumérer les mille et une raisons pourquoi cela risque de ne pas fonctionner.

Dans le but de continuer votre grand ménage pour vous aider à laisser émerger votre potentiel, repérez ces personnes dans votre vie qui siphonnent votre énergie. Dites-vous bien par contre qu'elles ne vous veulent aucun mal. Bien au contraire, elles sont souvent influencées par leurs propres peurs. Elles veulent en quelque sorte vous protéger et c'est malheureusement la meilleure façon qu'elles ont trouvée de le faire. De votre côté, vous n'avez pas à les éliminer de votre existence, mais plutôt à être conscient de leurs énergies et à vous protéger afin qu'elles ne vous influencent pas. Vous pourriez éviter de leur raconter votre vie en détail ainsi que les rêves que vous chérissez.

L'auteure Geneviève Behrend suggère de garder nos rêves secrets et de ne pas les divulguer pour éviter de nous laisser affaiblir par les peurs ou mauvaises énergies de certaines personnes. De cette façon, tant qu'ils ne sont pas encore complètement réalisés, cela nous permet de demeurer dans notre plein pouvoir. À l'inverse, elle suggère de ne pas hésiter à confier nos problèmes ou difficultés à un thérapeute, par exemple. Ce sera un bon exercice de libération et les problèmes en question auront moins d'emprise sur nous. Ils perdront de leur force et deviendront plus faciles à régler.

Prenez l'habitude de fréquenter des gens qui vous inspirent, ceux qui vous encouragent dans votre cheminement. Vous avez assurément au moins une personne dans votre entourage qui est toujours là pour vous stimuler, qui croit en vous peut-être même plus que vous ne croyez en vous-même. Il s'agit probablement de votre « ami magique »...

Un ami magique

———— ✦✦✦ ————

« Car un ami, c'est bien plus fort
Plus fort que tout
' Même plus fort que la mort
Un vieil ami, quand tout est gris
Ça nous sourit. »

Un ami
Paroles de Nicola Ciccone
Interprétée par l'auteur

———— ✦✦✦ ————

« Un ami est quelqu'un avec qui je peux être sincère,
quelqu'un devant qui je peux penser tout haut. »
RALPH WALDO EMERSON

Après avoir déterminé vos relations plus toxiques,
je vous invite à reconnaître au moins une personne de votre entourage qui vous apporte une belle
énergie positive. C'est souvent quelqu'un qui vous
aime inconditionnellement et qui perçoit la grandeur

de votre potentiel. Pour ma part, je me sens choyée d'avoir quelques amis de cette trempe dans ma vie.

Je pense à une amie, entre autres, que j'appelle affectueusement mon « amie magique ». Chaque fois que j'entre chez elle, j'ai l'impression d'enlever une lourde cape et de me présenter complètement authentique, telle que je suis. Je sais que je peux tout lui dire, que jamais elle ne me jugera. Elle est toujours là, a toujours les bons mots et elle possède un don pour me deviner. Elle sait parfaitement ce qui me fait plaisir et j'ai vraiment la sensation d'entretenir une connexion spirituelle particulière avec elle. De plus, c'est souvent en sa compagnie qu'il m'arrive des choses invraisemblables, comme des éclairs de génie.

Je suis certaine que vous avez au moins un ami magique dans votre vie. Peut-être l'avez-vous déjà découvert à la lecture du dernier paragraphe? Assurez-vous d'entretenir un contact régulier avec cette personne.

Et puisque vous venez de reconnaître votre « ami magique », vous pourriez faire un geste qui vous fera du bien à tous les deux. Procurez-vous une belle carte et envoyez-lui par la poste pour lui témoigner votre reconnaissance concernant sa présence dans votre vie. Écrivez-lui la vérité et dites-lui que vous êtes en train de faire un exercice tiré de ce livre qui vous a permis de prendre conscience du rôle important qu'il joue dans votre existence. Remerciez-le d'être dans votre vie. Ou encore, énumérez quelques qualités que vous appréciez chez lui. Vous constaterez à quel point cette délicate attention vous procurera un état de bien-être profond. Alors, imaginez lorsque la personne la recevra !

Vous risquez d'y prendre goût au point d'en créer une habitude. Maintenant, de façon hebdomadaire, je me demande qui a fait une différence positive dans ma semaine et je lui envoie une carte de remerciement. Une action de la sorte recèle un grand pouvoir de transformation énergétique et vibratoire. Dorénavant, lorsque je me sens un peu triste ou déprimée, je m'empresse d'accomplir un geste de bonté et très rapidement, je me sens mieux.

Alors, à qui enverrez-vous votre première carte de gratitude ? Cessez votre lecture et prenez le temps de l'écrire avec tout votre cœur et de lui envoyer.

Bien accompagné

« *Comme un chœur dans une cathédrale*
Comme un oiseau qui fait ce qu'il peut
Tu viens de chanter la ballade
La ballade des gens heureux
Tu viens de chanter la ballade
La ballade des gens heureux. »

La ballade des gens heureux
Paroles de Pierre Delanoë
Interprétée par Gérard Lenorman

« Traitez les gens comme s'ils étaient ce qu'ils pourraient être
et vous les aiderez à devenir ce qu'ils sont capables d'être. »
GOETHE

Angoissée, voire paniquée, je me dirigeais vers les studios de LCN pour une entrevue avec Denis Lévesque. Cherchant désespérément un moyen d'atténuer mon niveau de stress, un exercice inspiré du concept « MasterMind Group » me revint en mémoire et je m'empressai de le mettre en application.

Face à un défi particulier, certains auteurs suggèrent de penser à des personnes qui selon nous, possèdent les qualités requises pour obtenir du succès dans pareille situation. À un niveau inconscient, nous parvenons en quelque sorte à leur ressembler et à profiter de leurs forces. Surtout, au lieu d'émettre des pensées de doute et de peur, nous focalisons plutôt sur des exemples de réussite.

Quelles étaient les personnes que j'admirais en entrevue ? J'ai tout de suite pensé à Oprah Winfrey pour son ouverture d'esprit et sa chaleur humaine. Par la suite, je me suis rappelé certaines entrevues avec Véronique Cloutier, qui selon moi réussit toujours à demeurer en parfait contrôle de la situation. J'admire également l'intelligence de cette femme. Puis, ma grand-mère Michaud m'est revenue en mémoire. Décédée à l'âge vénérable de cent un ans, elle fut une grande oratrice toujours élégante et vive dans ses propos.

En arrivant en studio, je me sentais effectivement plus calme et en maîtrise de moi-même. Grâce à mon « MasterMind Group » virtuel, je me savais bien accompagnée.

Vous pourriez utiliser cette technique de différentes façons. Si vous avez à présenter un projet par exemple, demandez-vous qui réussirait ce type de présentation avec brio. Quelles sont les personnes qui vous impressionnent en pareilles circonstances ? Connectez-vous à elles en pensée et vous serez surpris des résultats. Une chose est sûre, vous vous libérerez d'un énorme poids et transformerez vos peurs en attentes positives. Essayez-le pour tout défi que vous aurez à relever et vous m'en donnerez des nouvelles. Ça marche !

J'ai déjà négocié un contrat immobilier en m'imaginant accompagnée de Donald Trump et je suis même allée jusqu'à entrer sur scène en m'imaginant dans la peau de Madonna ! Comme vous voyez, il n'y a aucune limite et cet exercice peut devenir vraiment excitant.

À vous de concocter votre recette idéale. Si vous désirez écrire un roman par exemple, vous pourriez y mettre une bonne dose de Marc Fisher pour le talent, la sagesse et les habiletés de négociation. À cela, vous pourriez ajouter un zeste d'Elizabeth Gilbert pour l'humour et la sensibilité et enfin, saupoudrer de Guillaume Musso pour le mystère et le suspense. Comme pour tout le reste, l'important, c'est de vous amuser avec le processus.

Dans le même ordre d'idées, si vous traversez une période difficile en ce moment, demandez-vous quelles sont ces personnes qui vous apportent le plus de réconfort. Vous pourriez vous fabriquer un collage avec leurs photos pour vous imprégner en tout temps de leur belle énergie. Ces gens deviendront alors vos « amis magiques virtuels ».

Les ailes de Chopin

⚬⚬⚬

« Ça fait rir' les oiseaux.
Ça fait chanter les abeilles.
Ça chasse les nuages
Et fait briller le soleil. »

Ça fait rire les oiseaux
Paroles de Jean Kluger et Daniel Vangarde
Interprétée par La Compagnie créole

⚬⚬⚬

« Tout le monde possède des capacités personnelles d'origine
divine. Et si nous désirons vivre la vie à son meilleur,
nous devons réaliser ces capacités. »
NORMAN VINCENT PEALE

Plus jeune, j'ai souhaité (et bien essayé aussi !) avoir
des enfants. Après quelques années de valeureux
efforts et réalisant que je n'accoucherais probablement jamais, j'optai pour l'adoption… d'un perroquet ! Terminé le désir de couches et de biberons,

j'allais maintenant étudier le behaviorisme aviaire. Quand on dit que seuls les fous ne changent pas d'idée!

Plus sérieusement, il faut dire que c'était une grande décision pour moi d'adopter un perroquet. Je savais que cela me demanderait beaucoup de temps, d'attentions et de soins particuliers, mais j'étais fascinée par ces volatiles.

Je me suis donc rendue chez un éleveur où j'ai fait la connaissance de trois beaux bébés Amazone à front bleu. Chopin s'appelait alors Willy et l'éleveuse n'était pas très chaude à ce que je porte mon choix sur lui, prétextant qu'il était plus petit que la moyenne et qu'il avait subi des séquelles d'une otite peu de temps après sa naissance. Pour ajouter du poids à ses arguments, elle me montra le tour de son oreille demeurée sans plume depuis.

Docile, je tentai d'abord de faire connaissance avec les deux autres perroquets. Toutefois, le contact ne semblait pas facile, le premier m'ayant grimpé sur la tête et le deuxième ne cessant de grogner après moi… En désespoir de cause, elle me permit enfin de prendre le petit Willy qui vint aussitôt se blottir dans le creux de mon coude en me regardant amoureusement. Ce fut le coup de foudre!

Étonnée de ce qui venait de se produire, l'éleveuse me proposa de prendre le temps d'y réfléchir. Si je décidais d'adopter ce perroquet, elle pourrait sans doute me faire un prix à rabais vu son «état»… De retour à la maison, je demandai à l'univers de m'envoyer un signe pour savoir si ce perroquet et moi avions à vivre ensemble. Si tel était le cas, je l'appellerais Chopin.

À vingt-deux heures ce soir-là, j'allai me coucher un peu triste de n'avoir perçu aucun signe. J'en profitai pour vérifier auprès de mon conjoint s'il n'avait pas reçu le message tant attendu. Précisément au moment où il allait me répondre, j'entendis à la télévision : « Maintenant, voici une nouvelle concernant le compositeur Chopin ». Coïncidence ? Heureux hasard ou signe du destin ? C'est le sourire aux lèvres que je sombrai dans les bras de Morphée ce soir-là en pensant à mon petit Chopin que j'irais chercher le lendemain.

Dans toute cette aventure, j'ai appris une multitude de choses sur les perroquets, mais sur la vie aussi, car nos expériences sont souvent source d'enseignement...

En amenant Chopin chez le vétérinaire pour la première fois, je m'aperçus qu'il avait les ailes coupées. N'ayez crainte, ce n'est nullement douloureux pour lui. C'est l'équivalent d'une coupe de cheveux pour l'humain. Par contre, cela lui enlève un grand pouvoir et un immense plaisir, celui de voler. J'étais triste pour lui et je décidai de lui laisser pousser ses ailes à nouveau. Je me fis la promesse de faire tout mon possible pour lui laisser vivre sa vie d'oiseau en ne le confinant pas tout le temps dans sa cage et en lui offrant une plus grande liberté.

Plusieurs essayèrent alors de me décourager en me disant qu'un perroquet ayant ses plumes de vol pouvait vite devenir exaspérant. Mon expérience m'a plutôt prouvé le contraire. Je crois fermement que Chopin ressent ce respect que j'ai pour lui et mon désir de le laisser être ce qu'il est. À vrai dire, je n'ai jamais connu de problèmes comme on en entend souvent avec les perroquets domestiqués. Au contraire, je crois que nous nous accompagnons mutuellement et que nous ajoutons joie et amour à nos vies respectives.

Si on fait une analogie entre la vie et les humains, on peut dire que nous avons avantage à prendre conscience de nos ailes, représentées ici par toutes nos potentialités. On ne doit permettre à personne de nous les couper, mais plutôt de les ouvrir toutes grandes pour prendre notre envol. Chopin me rappelle cela tous les jours…

Au moment où j'écris ces lignes, je reviens d'une conférence dans une école où j'ai fait connaissance avec des enfants provenant de milieux dysfonctionnels ou ayant vécu des difficultés. C'est désolant de voir des jeunes blessés ainsi, mais en même temps, je ressentais beaucoup de gratitude pour ce privilège de les rencontrer. J'ai rarement vu des enfants être aussi attentifs. Ils m'ont fait des confidences et m'ont ouvert leur cœur en remplissant le mien. Je leur ai raconté l'histoire de Chopin et des ailes coupées en leur suggérant de s'en souvenir lorsqu'ils douteraient d'eux-mêmes ou vivraient des périodes plus difficiles. Eux aussi possèdent de grandes ailes n'attendant qu'à être déployées…

Nous détenons un immense pouvoir et, peu importe nos origines, ce qui nous arrive, et ce qui nous arrivera, nous avons toujours la possibilité de prendre notre envol à nouveau. Cela nous appartient.

Hanaël

———✺———

« Ce n'est jamais aussi beau qu'on le dit
Et jamais aussi loin qu'on le pense
Deuxième sortie, passé le paradis
Et c'est là
Que les anges dansent. »

Les anges dansent
Paroles de Gaston Mandeville
Interprétée par Laurence Jalbert

———✺———

« Il n'existe que deux façons de vivre : comme si rien
n'était un miracle, ou comme si tout en était un. »
ALBERT EINSTEIN

Parlant d'ailes, on peut facilement penser aux
anges et à cette panoplie de guides spirituels qui
peuvent nous accompagner et nous venir en aide.
Étant sceptique de nature (vraisemblablement des
relents de mon baccalauréat en droit… c'est mon

côté rationnel), je n'aurais jamais pensé écrire sur les anges un jour, mais un curieux événement m'a permis de m'ouvrir à cette présence divine.

Lors d'un repas chez mon amie Dominique, je lui avouai mon questionnement par rapport au monde angélique. Elle se fit alors un plaisir de me raconter comment elle avait appris le nom de son ange gardien. Les questions se bousculaient dans mon esprit. Avais-je moi aussi un ange gardien ? Comment faire pour qu'il me dise son nom ?

Oui, j'avais effectivement un ange gardien bien à moi, peut-être même plusieurs et si je désirais en savoir un peu plus à leur sujet, je devais établir le contact.

Va pour le contact, mais tout doucement, s'il vous plaît ! Pas d'apparition subite au pied de mon lit en plein milieu de la nuit. Ce serait trop pour moi. Ange gardien, si tu voulais me parler, il faudrait que ce soit dans la clarté et la simplicité ! Et s'il commençait par me faire savoir son nom, ce serait déjà beaucoup…

Mon amie me suggéra d'en faire la demande avant de m'endormir ce soir-là. Et elle continua de me raconter son histoire. Plus elle parlait, moins je l'écoutais, car un nom me revenait sans cesse à l'esprit. À un moment donné, je lui ai dit : « Dominique, arrête de parler une minute. Je n'arrive même plus à t'écouter. Je n'aurai peut-être pas à attendre à cette nuit pour obtenir ma réponse, car j'ai l'impression d'entendre un drôle de prénom… Je vais te l'écrire. »

Hanaël… C'est le prénom que j'inscrivis sur un bout de papier avant de le lui montrer.

Subitement affublée d'un immense sourire, Dominique se leva d'un bond pour aller chercher une pochette de CD dans son armoire. Elle revint vers moi et déposa celle-ci sur la table. On y apercevait une image d'ange et un nom, celui de l'interprète. Elle s'appelait *Anael* et c'était son album qui jouait au moment où toute cette scène se déroulait.

Mon amie me dit alors : « On dirait bien que ton ange vient de te souffler son prénom à l'oreille… Elle s'appelle assurément *Hanaël* puisque tu l'as écrit ainsi. ».

J'étais estomaquée. Touchée, je me suis mise à pleurer. Jamais auparavant je n'avais vécu pareille expérience. Rappelez-vous mon scepticisme par rapport à ce genre de choses… Mais là, je ne pouvais nier l'expérience vécue. Et l'émotion était si forte que ça me dépassait un peu… Aujourd'hui encore, je n'arrive pas à décrire avec des mots ce que j'ai vécu et surtout ressenti ce soir-là. Je me suis sentie enveloppée d'une immense dose d'amour. On aurait dit que le temps s'était soudainement arrêté. J'avais l'impression de flotter littéralement…

De retour à la maison, je m'empressai de faire une recherche sur Internet. Je tapai *Hanaël* sur le moteur de recherche Google. Je découvris alors que *Hanaël* (qui s'écrit aussi *Anael* ou *Haniel*) était l'ange de la littérature. Quel merveilleux hasard, n'est-ce pas?

Depuis ce jour, j'ai beaucoup lu sur les anges et les guides spirituels. C'est réconfortant de penser qu'ils sont là, bien présents et à l'écoute. Je leur parle régulièrement et je leur demande toujours de m'accompagner dans mon cheminement et d'éclairer mon chemin. Lorsqu'on est sceptique comme moi, les anges doivent probablement s'en amuser et donc, ils nous font vivre des expériences qui nous font sourire, mais surtout nous apportent les preuves dont nous avons besoin.

Des anges à notre service

« C'est la romance de Paris
Au coin des rues, elle fleurit
Ça met au cœur des amoureux
Un peu de rêve et de ciel bleu
Ce doux refrain de nos faubourgs
Parle si gentiment d'amour
Que tout le monde en est épris
C'est la romance de Paris. »

La romance de Paris
Paroles de Charles Trenet
Interprétée par l'auteur

« On peut toujours donner le nom
de hasard à la grâce divine… »
MARCELLE AUCLAIR

Un été, lors d'un voyage à Paris avec mon amoureux, nous marchions dans le quartier Saint-

Germain-des-Prés en nous demandant où nous pourrions aller dîner. Nous avions déjà essayé plusieurs restaurants et nous avions envie de faire une belle découverte. On se disait qu'il serait bon de trouver un endroit paisible et agréable, offrant un bon rapport qualité-prix. Comme nous étions à court d'idées, je suggérai que l'on fasse appel aux « anges coursiers ».

C'est dans le livre *Demandez à vos guides* de Sonia Choquette que j'ai entendu parler de ces anges pour la première fois. Champions pour faire les courses et nous faciliter la vie, ils ont pour mission de nous trouver ce que nous cherchons. À la blague, je dis alors à mon amoureux qu'ils seraient enchantés qu'on les appelle, et puisque nous étions à Paris, cela devrait certainement leur plaire. Avouez qu'il semble toujours plus séduisant d'aller aider des gens à Paris !

Nous leur avons donc demandé de nous dénicher le parfait restaurant (selon nos critères énumérés plus haut) pour notre fin de journée. Nous ne cherchions nullement à savoir *comment* nous pourrions trouver ce restaurant idéal, mais nous demeurions concentrés sur notre « quoi ? », ce que nous voulions vraiment.

Quelques minutes de marche plus tard, un drôle d'événement se produisit…

Une femme sortit d'un immeuble juste devant nous en tenant par la main une toute jeune fille avec de grandes ailes en plumes blanches accrochées à son dos. S'agissait-il d'un déguisement pour une fête ou d'un caprice de petite fille qui décide de porter ses ailes d'anges? Très drôle! Et si c'était nos anges coursiers nous signifiant qu'ils étaient arrivés et qu'ils s'occupaient de la situation?

À peine un coin de rue plus loin, nous sommes arrivés devant le *Vagenende*, un sympathique restaurant qui m'avait été recommandé par l'éditeur de ce livre, mais dont j'avais oublié le nom et l'emplacement.

Le repas fut exquis et nous avons passé une délicieuse soirée. Ce genre d'aventure me prouve encore une fois que nous avons intérêt à davantage lâcher prise, à nous amuser avec la vie pour entrer dans ce que j'appelle le courant de la grâce.

Des questions ?

⸻⸻

« Qu'est-ce qu'on attend pour être heureux
Qu'est-ce qu'on attend pour faire la fête
La route est prête, le ciel est bleu
Y a des chansons dans le piano à queue
Il y a d'l'espoir dans tous les yeux
Et des sourires dans chaqu' fossette
La joie nous guette, c'est merveilleux
Qu'est-ce qu'on attend pour être heureux ? »

Qu'est-ce qu'on attend pour être heureux ?
Paroles d'André Hornez
Interprétée par Henri Salvador

⸻⸻

« L'esprit pose les questions et c'est le cœur qui y répond. »
KATIE BYRON

Il y a un adage qui dit : « Poser la question, c'est y répondre ! » Depuis quelques années, j'ai souvent eu l'occasion d'en vérifier la véracité. Y a-t-il des domaines dans votre vie où vous vous questionnez? Les finances, le travail, les amours?

Lorsque tout baigne, que tout va bien, on ne se pose pas trop de questions. On profite de la vie et on a le cœur et l'esprit plutôt légers, n'est-ce pas? Lorsque nous commençons à nous poser des questions concernant une situation, une personne ou un secteur de notre vie, c'est probablement signe d'une insatisfaction. En soi, c'est une bonne nouvelle, car cela nous permettra d'améliorer la situation. Ce sont des passages obligés, parfois étroits et encombrés, j'en conviens, mais qui nous amènent nécessairement vers du mieux. C'est le principe même de l'évolution!

Très souvent, les réponses à ces questions se trouvent à l'intérieur de nous. Nous demandons à tout le monde autour, nous doutons, mais si nous osions nous questionner et écouter, je suis convaincue que nous trouverions. Toutefois, il y a des moments où nous aimerions mieux justement ne pas entendre la réponse… Lorsque nous nous apprêtons à faire un bond d'évolution, nous avons tendance à préférer ne pas voir les vraies réponses… C'est normal. La zone de confort est ébranlée. On perd nos repères… Mais toujours dans le but de mieux nous retrouver. On dirait que ça nous remet dans le bon axe.

Qu'est-ce qui bloque? La question pourrait également être: «Qui est-ce qui bloque?» et la réponse serait assurément: «Moi!» Eh oui, ça peut paraître frustrant, mais nous sommes responsables de notre vie et de la réalisation de nos rêves. La plupart du temps, lorsque les choses n'arrivent pas comme nous le souhaitons, c'est que nous nous mettons des bâtons dans les roues.

Si vous avez un rêve qui vous tient vraiment à cœur, que vous entretenez depuis longtemps et qui ne s'est pas encore manifesté, vous pourriez vous poser les questions suivantes (répondez le plus rapidement possible, ne cherchez pas à contrôler, laissez simplement les réponses venir d'elles-mêmes):

Qu'est-ce que vous voulez?

Pourquoi ne l'avez-vous pas déjà?

Qu'est-ce qui vous en empêche?

Que pourriez-vous faire pour que cela se produise?

Pourquoi ne le faites-vous pas?

De quoi avez-vous peur?

Seriez-vous prêt à ce que cela se réalise demain?

Quel est le bénéfice que vous retirez du fait que votre rêve ne se réalise pas?

Que pourriez-vous perdre si cela se réalisait?

Vous n'aurez peut-être pas de réponses pour chacune des questions, mais il suffit parfois de prendre conscience d'un tout petit blocage pour lui permettre de se dissiper.

Comme bien d'autres choses, il y a deux pôles à ce processus de réalisation de rêve. D'un côté, on doit effectuer un certain ménage, une épuration de tout ce qui entrave le processus pour libérer le chemin et permettre au désir de se manifester. Et de l'autre côté, il faut croire à un point tel que c'est comme si on sait que cela se produira, comme une absolue certitude.

Les questions ne servent pas seulement à transformer une insatisfaction, mais elles nous permettent aussi de développer davantage nos idées et d'aller plus loin sur le chemin du succès. Il peut être très inspirant de s'amuser à trouver de nouvelles idées payantes par exemple, des « idées de génie », comme dirait le conférencier et auteur Guy Bourgeois.

Chaque matin, au réveil, je donne le coup d'envoi de ma journée en prenant un moment de réflexion et en me demandant quelles sont mes intentions pour la journée qui s'amorce. J'utilise un exercice, suggéré par Esther et Jerry Hicks, qui consiste à mettre par écrit ce que j'ai l'intention d'accomplir dans ma journée d'un côté de la feuille et de l'autre, pourquoi j'apprécierais recevoir un peu d'aide. Par exemple, je pourrais écrire du côté gauche de la feuille que je dois envoyer tel courriel, écrire tel article, etc. Et du côté droit, je pourrais demander de l'aide pour être divinement inspirée dans mon écriture ou encore pour trouver une solution à un problème en particulier. Du côté des tâches que je m'engage à accomplir, je m'organise tout de même pour demeurer dans la joie. Je recherche toujours des manières agréables de faire ce que j'ai à faire. Et pendant que je m'amuse à effectuer mes tâches quotidiennes, je reçois également des réponses à mes questions, des inspirations qui m'amènent plus loin sur le chemin de l'épanouissement personnel.

Plus nous posons de questions, plus nous accumulons de nouvelles connaissances. C'est comme si nous possédions un «muscle du questionnement positif» qui, développé et entretenu, nous permet de nous réaliser davantage.

Les questions permettent aussi de faire certaines vérifications…

Une bonne façon de vérifier si ce que vous désirez est bon pour vous consiste à faire l'exercice du *pourquoi du pourquoi*. Cet exercice m'a été inspiré par les enfants qui se contentent rarement d'une seule réponse, mais qui vont plutôt constamment demander pourquoi: «Oui, mais pourquoi?»

Prenons l'exemple d'une femme qui désire une nouvelle maison. La première question qu'elle pourra se poser est: «*Pourquoi je veux une nouvelle maison?*» La réponse sera peut-être: «Pour avoir plus d'espace.» Dans le but d'aller au cœur de son désir, elle reprendra cette réponse en y ajoutant un pourquoi: «Pourquoi ai-je besoin de plus d'espace?» Et la réponse qui suivra sera peut-être: «Pour avoir un atelier d'artiste.» Et elle continuera ainsi: «Pourquoi je veux un atelier d'artiste?», etc. La dernière réponse sera probablement: «Pour être heureuse.» Et ce serait parfait ainsi. Elle saura alors que son désir vient du cœur et qu'il ne sera pas concrétisé dans le but de combler un manque ou de prouver quoi que ce soit.

Ce genre d'exercice l'aidera également à aller vérifier l'ampleur de son engagement face à la réalisation de son rêve. Plus le «pourquoi?» sera puissant, plus elle aura de chances de réaliser rapidement et aisément son rêve. C'est souvent lorsqu'il n'y a plus d'autres issues possibles que nous devenons très efficaces et créatifs pour manifester nos désirs. Par contre, nous n'avons pas besoin d'attendre d'être rendus à ce point pour agir.

Prenez le temps de définir pourquoi vous voulez transformer, améliorer ou attirer certaines choses. Et effectuez immédiatement une toute petite action pour vous mettre en route. Le simple fait de prendre rendez-vous pour quelque chose enclenche souvent le processus qui vous mènera vers le succès. J'ai réalisé avec le temps que chaque fois que je me suis véritablement engagée face à un objectif, le travail de concrétisation s'est amorcé et c'est à ce moment-là que nous avons l'impression que la vie nous vient en aide.

Commencez tout de suite !

───⸎───

« Le vrai soleil on l'a pas encore vu
Et jusqu'aujourd'hui
On n'a rien vécu
La grande extase on l'a pas encore vu
Non c'est pas fini
C'est rien qu'un début
Mais c'est le plus beau des commencements. »

Et c'est pas fini
Paroles de Stéphane Venne
Interprétée par Emmanuelle

───⸎───

« Tout ce que vous pouvez faire ou rêver de pouvoir faire,
entreprenez-le ; l'audace est faite de génie,
de pouvoir et de magie. »
GOETHE

J'animais une rencontre avec l'auteure Diana
Gabaldon qui était de passage au Québec. Elle

venait de publier le sixième tome de sa saga, dont le premier titre était *Le Chardon et le Tartan*. Elle en avait vendu plus de dix-sept millions d'exemplaires à l'époque. Lorsque je lui ai demandé quel était le meilleur conseil qu'elle puisse donner à un jeune auteur, elle m'a répondu ceci :

« Premièrement, il faut lire. Le fait de lire différents auteurs et différents styles développe notre capacité de jugement et c'est très inspirant.

« Deuxièmement, il faut écrire, tout de suite ! » Selon elle, il est faux de penser que les écrivains reçoivent une inspiration et se mettent à écrire l'histoire d'un bout à l'autre. En fait, ce serait plutôt le contraire. Il faut d'abord se mettre en action et ensuite, l'inspiration vient.

Troisièmement, elle disait qu'il ne fallait jamais cesser d'écrire. « Il y aura des périodes de découragement, d'autres où l'on sera moins productif et inspiré, mais si on tient bon, ça revient toujours et on atteint l'objectif fixé. »

Ces trois conseils peuvent s'appliquer à bien d'autres domaines de notre vie. Lorsque nous avons un rêve, on doit être attentif aux signes qui nous guideront vers l'accomplissement de certaines actions inspirées. C'est ce qui activera le mécanisme de réalisation. Il faut se plonger dans le domaine qui nous intéresse. On peut également s'amuser à « faire comme si », à agir comme si nous avions déjà réalisé le rêve en question, à ressentir les émotions qui y sont reliées. Et enfin, il faut demeurer confiant en notre réussite. Pensez à ce rêve qui vous anime et que vous n'avez pas encore réalisé… Que pourriez-vous faire tout de suite pour vous en approcher ?

En tant qu'animatrice à la radio, il m'arrive de prendre des appels d'auditeurs en ondes pour leur permettre de répondre à une question ou de partager sur un sujet précis. À une certaine époque, une jeune fille d'une quinzaine d'années appelait régulièrement. Très mature, voire sage pour son jeune âge, elle m'impressionnait par ses propos. Sarah et moi avons commencé à nous écrire par courriel et à échanger sur la vie et le développement personnel, ce qu'elle affectionnait particulièrement.

Un jour, elle me confia son rêve de faire de la radio. Ayant vécu des expériences plutôt difficiles, elle en avait tiré suffisamment de leçons pour avoir envie de partager et surtout d'inspirer d'autres jeunes de sa génération.

Lors d'une conférence devant plusieurs centaines de personnes, j'invitai Sarah à monter sur scène pour lui rendre hommage. Cette jeune fille pouvait être un modèle inspirant pour plusieurs adultes présents… Déjà, à quinze ans, elle avait un désir, celui d'animer à la radio, et elle avait fait un geste concret pour se rapprocher de sa réalisation. Elle participait le plus souvent possible aux tribunes téléphoniques, ce qui lui avait permis de se faire remarquer. C'était donc tout naturel qu'on lui offre de faire quelques chroniques par la suite, ce qu'elle réussit avec brio.

Sarah avait parfaitement appliqué les principes de la loi de l'attraction. Elle chérissait un rêve et saisissait toutes les occasions pour s'en rapprocher en s'amusant, sans stress, juste pour le plaisir. Elle ne pouvait que récolter par la suite!

Pour tout rêve à réaliser, certaines étapes doivent être franchies. Et c'est la somme de toutes ces petites actions qui nous dirigent vers la manifestation de nos désirs les plus chers. Poursuivez votre route vers la réalisation de vos rêves, mais sans pression, plutôt avec conviction. Dites «oui» à ce qui se présente à vous et qui vous fait vibrer positivement. Il s'agit probablement d'une étape préalable à l'obtention de ce que vous désirez.

Dans le but de m'enlever le plus de pression possible, je m'impose même une forme de lâcher-prise extrême en allant jusqu'à vérifier comment je me sentirais si mon rêve ne se réalisait pas, ou pas tout de suite du moins. Lorsque je ressens que je n'ai plus d'attache, je sais que je suis branchée au courant de la grâce et que ce qui doit arriver arrivera pour le mieux.

Mais il est possible aussi qu'on ne soit pas en mesure de savoir précisément comment les choses se réaliseront. Il se peut que l'on entretienne un désir très fort, mais qu'il prenne du temps à se manifester. Parfois même, on aura l'impression de ne pas avoir réussi à réaliser un certain rêve, alors qu'au contraire, notre vœu a été exaucé. Nous devrions alors regarder les choses sous un autre angle…

Plus jeune, je caressais le rêve d'avoir des enfants. Aujourd'hui, je réalise que la vie a parfaitement répondu à ma demande. J'ai rencontré un homme qui avait déjà trois beaux adolescents qui me permettent de vivre les joies de la famille. Je me souviens même avoir déjà dit à la blague que je désirais des enfants, mais que je préférerais les avoir à l'âge où ils sont en mesure de parler et de se débrouiller seuls pour leurs besoins personnels.

C'est exactement ce que j'ai récolté!

Le voir pour le croire

———∞∞∞———

« Croire
Qu'il est sous la poussière
Des diamants dans chaque pierre
Que nos mains un jour déterrent
Croire
Qu'au milieu du désert
Peut jaillir une rivière
Pour se jeter dans la mer… »

Croire
Paroles de Lionel Florence
Interprétée par Natasha St-Pier

———∞∞∞———

« Pour réaliser une chose vraiment extraordinaire,
commencez par la rêver. »
WALT DISNEY

Ma première expérience de visualisation a eu lieu
à la suite de la lecture du livre *Techniques de*

visualisation créatrice de Shakti Gawain. L'auteure nous apprend à fabriquer des tableaux de visualisation, aussi appelés «roues de fortune». Elle suggère de coller une photo de soi au centre d'un grand carton et d'y apposer tout autour des images représentant nos rêves. Dans le même ordre d'idées, on peut également faire des montages (ou trucages) avec des photos. C'est la première chose que je décidai de tester.

À l'époque, je me sortais tranquillement des affres de la dépression et je commençais à travailler pour un éditeur (celui-là même qui publie ce livre!) en tant que membre du comité de lecture. J'adorais lire et donner mon opinion sur les manuscrits. De plus, je travaillais aussi comme recherchiste pour un court mandat pour l'émission de Louise Deschâtelets à Vox. Une idée commença alors à germer dans mon esprit…

Comme je me plaisais à découvrir le travail sur un plateau de télévision et que j'adorais lire, j'eus cette idée un peu folle de m'imaginer parler des livres à la télé… Dans la perspective de me faire vibrer davantage et de mettre en pratique les enseignements de Shakti Gawain, je fabriquai un montage en apposant ma photo sur une image de téléviseur découpée dans un magazine. Puis, j'affichai ce montage photo en haut de mon écran d'ordinateur. Ainsi, je le voyais constamment et je pouvais m'imaginer en train d'œuvrer à la télévision.

C'était plutôt comique de me voir ainsi!

Vous vous doutez de la suite ? Quelques semaines plus tard, Louise Deschâtelets m'offrit une chronique littéraire à son émission. Par la suite, j'animai une émission littéraire à Vox pour finalement me retrouver dans l'équipe de l'émission *Salut, Bonjour ! weekend* à TVA.

Depuis ce jour, je me suis amusée à fabriquer de nombreux tableaux de visualisation, certains illustrant mes rêves en général et d'autres axés sur un objectif spécifique, comme dans le cas de la « maison du bonheur » dont je vous reparlerai.

Je sélectionne toujours des images qui me font vibrer positivement. La plupart sont choisies dans le but de représenter mes rêves, mais il arrive aussi que je découpe des images simplement parce qu'elles me parlent... Elles m'attirent sans que je sache trop pourquoi. Puis, avec le temps, je comprends la raison pour laquelle cette image me plaisait tant. Souvent, il s'agira d'un désir profond, voire enfoui, qui prendra forme. En quelque sorte, c'est comme si la visualisation se transformait alors en prémonition...

Ce processus a toujours très bien fonctionné pour moi. J'ai fait plusieurs voyages qui me paraissaient hors de portée. J'ai acquis de nouvelles habiletés, attiré un amoureux, une voiture plus luxueuse et toutes sortes d'autres choses qui me tenaient à cœur. Encore aujourd'hui, j'ai un mur rempli de ces tableaux de visualisation. Ils font face à mon tapis roulant dans ma salle d'exercice. De cette façon, je peux rêvasser tout en améliorant ma santé et ma condition physique.

C'est de cette manière aussi que j'ai visualisé mon premier contrat à la radio. J'avais découpé une photo d'Oprah Winfrey devant un micro de radio où on la citait disant que le sens de la vie et la spiritualité étaient ses sujets de prédilection à la radio. Quelques semaines plus tard, je n'étais pas surprise d'être convoquée par le directeur de la programmation de Rythme FM Québec. Il me demandait si j'étais intéressée d'animer l'émission du matin en apportant positif et inspiration aux auditeurs. C'était précisément ce dont j'avais le plus envie !

Lors de la sortie du fameux livre *Le Secret*, certains ont dénoncé la suggestion de se faire un chèque et de l'afficher en pensant qu'il deviendrait réalité. Moi, je vous dis, faites ce qui vous enthousiasme. Si l'activité créative de vous fabriquer un tableau de visualisation vous met dans un état joyeux et rempli d'espoir, c'est signe que c'est bon pour vous. Vous rehausserez votre niveau de vibration et vous serez plus apte à recevoir une guidance pour réaliser vos rêves. Vous verrez les synchronicités se multiplier, et par ricochet, vos chances d'atteindre vos objectifs. Sinon, passez outre tout simplement. Il existe une multitude de façons de visualiser ou de réaliser ses rêves. Trouvez celle qui vous convient le mieux.

Il y a quelques années, ce processus de visualisation me permit d'attirer l'homme qui allait devenir mon mari. J'avais décrit sur papier toutes les caractéristiques, qualités et valeurs que je désirais retrouver chez un amoureux. Un jour, en feuilletant le journal, j'aperçus un avis de nomination avec la photo d'un homme qui, pour moi, avait le physique idéal. Je montrai cette photo à ma mère en disant à la blague qu'il s'agissait là de mon prince charmant. Quelques mois plus tard, cet homme a été engagé dans l'entreprise où je travaillais à l'époque. Je me suis alors empressée de faire ressortir l'annonce des archives du journal et de la télécopier à ma mère avec la mention : « Devine qui travaille ici maintenant ? » Je ne suis plus en couple avec lui aujourd'hui, mais je serai toujours reconnaissante pour le bout de chemin parcouru ensemble.

Plus récemment, je souhaitais aller jouer au golf à Myrtle Beach, mais j'avais seulement trois jours consécutifs sans rien à mon emploi du temps. Mon entourage trouvait que ce n'était pas raisonnable de partir pour une aussi courte période. On essaya de me décourager en me disant que les billets d'avion me coûteraient une fortune, que je risquais d'avoir trois jours de pluie et que ce serait compliqué à organiser. Comme toujours, je décidai de n'en faire qu'à ma tête (ou mon âme !) et j'adoptai une visualisation particulière… Chaque fois que je pensais à mon désir d'aller à Myrtle Beach, je m'imaginais un vent chaud soufflant sur mes orteils. Je parvenais vraiment à le ressentir même à moins trente degrés Celsius ! Évidemment, je garde un excellent souvenir de ces trois magnifiques journées passées à jouer au golf à Myrtle Beach.

Peu importe la technique utilisée, le plus important consiste à vous amuser dans ce processus. On le fait « juste pour le fun », comme on dit ! Ainsi, vous n'exercez aucune pression, vous émettez un désir et laissez la vie vous répondre. Inventez vos propres méthodes de visualisation.

Parfois, je visualise en allant marcher ou courir avec de la musique entraînante dans les oreilles. Je m'imagine alors que mes rêves se sont réalisés en ressentant les émotions qui y sont associées. Sinon, il m'arrive aussi de visualiser étendue au soleil ou dans un moment de relaxation. D'autres excellentes périodes pour effectuer ce genre d'exercice peuvent être le soir avant de vous endormir ou le matin au réveil. Pour ma part, la longue route s'avère également un moment très propice à ce processus de cinéma intérieur.

Retenez surtout qu'il est primordial de vous amuser et de laisser aller votre imagination. Ce sera votre outil le plus puissant. D'ailleurs, si vous recherchez l'amour actuellement, essayez l'exercice suivant. Pour y ajouter encore plus de crédibilité (et de plaisir aussi), procurez-vous un toutou en peluche que vous appellerez Valentin (ou Valentine) et avec lequel vous signerez le contrat suivant :

Bonjour (indiquez ici à qui vous vous adressez),

Je m'appelle Valentin et je suis très heureux d'arriver dans ta vie aujourd'hui.

Pour tout te dire, on m'a chargé d'une mission... Je possède des pouvoirs magiques qui me permettent de t'aider à attirer ton prince charmant, ta perle rare (si tel est ton désir bien sûr).

Si tu acceptes de m'adopter, je veillerai sur toi et je ferai en sorte de toujours te rappeler la petite (prénom de la personne qui reçoit ce contrat) à l'intérieur de toi. Tu te souviens d'elle ? Elle est si mignonne, si pure, et parfaite. Elle possède un potentiel illimité et surtout beaucoup d'amour à offrir.

Alors, voici mon « contrat-échange » :

Tu t'occupes de prendre soin de toi, de faire tout ce qu'il faut pour être heureuse et sereine. Tu vas chercher à l'intérieur de toi la source de ton bonheur, l'amour inconditionnel et la puissance de réaliser tes rêves.

De mon côté, je me concentrerai à attirer à toi une belle âme qui saura t'aimer et t'apporter des instants d'éternité. Je rechercherai pour toi une relation équilibrée qui te permettra de t'amuser, de profiter pleinement de la vie et de tous ses petits moments de magie !

Si mon offre t'intéresse, il ne te reste qu'à signer le contrat !

Sur une feuille de papier, prenez soin de signer le contrat et d'y inscrire la date.

Voilà ! En attendant, amusons-nous et surtout, donnons-nous tout plein de tendres câlins…

Je t'aime déjà…

Valentin XOX

Je distribue ce contrat lors de certains ateliers et si vous saviez le nombre de courriels reçus me racontant l'efficacité de Valentin ou Valentine. C'est impressionnant ! Il suffit d'y croire. Et plus vous ferez confiance au processus, plus la vie vous prouvera à quel point cela fonctionne à merveille.

Des indices

⁓⁓⁓

« C'est beau ! C'est beau !
Si tu voyais le monde au fond, là-bas
C'est beau ! C'est beau !
La mer plus petite que soi
Mais tu ne la vois pas. »

Un peu plus loin
Paroles de Jean-Pierre Ferland
Interprétée par Ginette Reno

⁓⁓⁓

« Tout ce que vous désirez, tout ce dont vous avez besoin est là,
à votre disposition ; il suffit d'y croire, de désirer sincèrement,
de bien vouloir accepter et c'est gagné ! »

SHAKTI GAWAIN

La première fois que j'ai entendu parler des « évi-dences », c'était lors d'une formation avec Claude Provost sur la loi de l'attraction. M. Provost suggérait de tenir un journal d'évidences qui consiste à noter une série de preuves qui nous donneront de l'espoir pour réaliser un rêve en particulier.

Reprenons l'exemple d'une femme qui souhaite rencontrer l'âme sœur. Si elle définit bien son désir et qu'elle prend des mesures pour que ça se concrétise, elle recevra nécessairement des évidences, c'est-à-dire des preuves que son rêve est en voie de réalisation. Par exemple, une amie pourrait lui raconter qu'elle vient de tomber éperdument amoureuse ou elle pourrait continuellement se retrouver entourée de couples d'amoureux. Au lieu d'envier les autres en pensant qu'elle vit un manque de ce côté, elle devrait alors se réjouir du bonheur de ceux qui l'entourent, car ce faisant, elle attirera encore plus rapidement ce qu'elle souhaite. Et si c'était justement la vie qui envoie des signes pour l'avertir que ça va se produire et qu'elle pourra à son tour en faire l'expérience?

Certains disent que nous sommes des êtres spirituels venus vivre des expériences physiques sur la terre. C'est ce qui me permet de croire que tout est question de choix. Il n'y a pas de raison qu'une personne puisse profiter de quelque chose qui vous serait interdit. Regardez les gens qui réalisent des rêves semblables à ceux que vous entretenez. En quoi sont-ils si différents de vous? Pourquoi eux et pas vous? Ils ont choisi de vivre ces expériences et vous avez tout le loisir de faire la même chose!

À l'époque où je désirais attirer ma première voiture plus luxueuse, je m'amusais à regarder les femmes au volant de l'auto convoitée en me rappelant que je pouvais choisir de vivre une expérience semblable. Cette façon de penser et de percevoir la vie nous aide à enlever des barrières. « Ils ne savaient pas que c'était impossible, alors ils l'ont fait », a dit Mark Twain. Retirez le mot impossible de votre vocabulaire et ouvrez une petite brèche en vous disant plutôt : « *Et si c'était possible ?* » Vous basculerez alors vers un nouveau monde de possibilités et vous constaterez à quel point la vie aime vous apporter les preuves dont vous avez besoin pour y croire.

D'autres formes de preuves pourraient vous venir de vos proches ou des gens que vous côtoyez. Soyez attentif à ce qu'ils vous disent ou à leur interprétation de votre vie. Au départ, mon amoureux et moi ne faisions que travailler ensemble. Il m'engageait comme conférencière pour des événements qu'il produisait. Bizarrement, nous nous faisions régulièrement demander si nous étions en couple. Les gens nous voyaient ensemble avant même que nous réalisions que nous allions effectivement former un couple.

La prochaine fois que vous réfléchirez à l'un de vos désirs inassouvis, plutôt que de vous morfondre sur le manque, partez à la recherche d'indices. Soyez ouvert et attentif à ce qui vous entoure. Choisissez d'y croire et faites vos expériences !

Des petits lutins fatigués…

⊶∞⊷

« On est qui on est, non ne changez rien
Foncez et n'ayez crainte de rien
Dites-vous que si la peur vous retient
C'est normal même le temps n'y changera rien
Génération, Yes We Can !
Tout est à prendre, ce n'est pas dans les gènes
Se laisser pousser des ailes et voler
La vie est belle vue du ciel. »

Génération 80's
Paroles de K-Maro
Interprétée par l'auteur

⊶∞⊷

« Demandez et l'on vous donnera ; cherchez et
vous trouverez ; frappez et l'on vous ouvrira. »
(MATTHIEU 7,7)

« Si vous pouvez formuler un souhait, c'est que
vous avez aussi la capacité de le réaliser », a dit

Richard Bach. Sachant cela, prenez plaisir à mettre vos désirs par écrit en vous amusant à les décrire ou à les détailler le plus possible.

Lors des *Week-ends du bonheur*, les participants sont invités à décrire ce que serait une journée de rêve pour eux. Ils peuvent alors réfléchir aux activités qu'ils aimeraient faire, aux endroits où ils aimeraient être, tout comme aux personnes qu'ils souhaiteraient fréquenter. C'est très inspirant de faire ce genre d'exercice. On y apprend à mieux définir nos priorités et ce qui nous tient vraiment à cœur.

S'il est vrai que nos désirs n'attendent que d'être réalisés et qu'ils font partie de nos possibilités, j'aime croire que nous possédons tous un entrepôt quelque part dans l'univers où sont conservées toutes nos futures demandes, la concrétisation de nos rêves. Et je vais plus loin encore en imaginant que de petits lutins travaillent dans ces entrepôts, attendant que nous passions la commande pour nous livrer la marchandise. Vous trouvez cela un peu fou peut-être, mais permettez-moi de vous donner un exemple concret.

Remémorons-nous encore une fois cette femme qui recherche un amoureux. Elle a rédigé sa liste des caractéristiques souhaitées. Elle a même fait son tableau de visualisation sur lequel elle a apposé une photo représentant son type d'homme idéal. Elle sait exactement ce qu'elle veut et ses lutins sont heureux qu'elle en prenne ainsi conscience, sachant qu'ils pourront enfin lui livrer son «Ken» (ou l'homme idéal pour elle, quel qu'il soit) qui attend déjà depuis trop longtemps dans l'entrepôt. «Enfin! se disent-ils, elle se décide à passer clairement sa commande!» Dans un élan d'enthousiasme, ils sortent le «Ken» de l'entrepôt et partent effectuer leur superbe livraison. Mais en cours de route, ils s'aperçoivent que la femme commence à douter de sa commande. Elle reprend sa liste et se met à biffer certaines caractéristiques. Elle fait quelques changements, prétextant qu'elle ne peut quand même pas en demander autant.

Les petits lutins sont alors déçus... Une fois de plus, ils ne parviendront pas à livrer la marchandise. En vérité, ils sont plutôt découragés nos petits lutins de continuellement sortir du stock de l'entrepôt pour devoir le rapporter parce que la commande a été modifiée. Ils ne comprennent pas pourquoi les êtres humains ont autant de difficulté à croire en leurs capacités de manifestation et à laisser la vie leur offrir les plus beaux cadeaux, ceux qui leur sont spécifiquement destinés.

Faites-vous partie de ces personnes qui épuisent leurs petits lutins?

Si vous avez tendance à douter de votre capacité à attirer ce que vous souhaitez, voici quelques trucs que j'ai personnellement développés dans le but d'améliorer ma relation avec mes petits lutins.

D'abord, lorsque le doute surgit dans mon esprit, j'utilise les mots pivots suivants: «J'annule et j'efface». Ainsi, j'ai l'impression de neutraliser le doute qui s'immisce et j'ai l'occasion de me ressaisir. Par la suite, pour me changer les idées et ne pas sombrer dans mes scénarios négatifs, je répète le mantra d'Émile Coué : « De jour en jour, à tous points de vue, je vais de mieux en mieux ». Déjà, je peux ressentir un apaisement et me recentrer sur ce que je désire vraiment.

Enfin, j'essaie toujours d'alléger le processus en me disant que *ce serait l'fun si* cela arrivait. Je m'amuse à imaginer la réalisation de mes rêves plutôt que de me « mettre de la pression ». Par exemple, j'adore être invitée à souper chez des amis, alors souvent je pense « *Ce serait l'fun si* je recevais une invitation ce soir ! » La plupart du temps, je reçois ladite invitation. Et souvent même, la personne me dira quelque chose du genre : « Je sais que c'est un peu à la dernière minute, mais je pensais à toi et je voulais t'inviter à venir manger avec nous ».

Et si les entrepôts existaient vraiment et qu'au crépuscule de votre vie, vous puissiez voir tout ce qui s'y trouve encore... N'auriez-vous pas de regrets face à toutes ces merveilleuses expériences que vous n'auriez pas vécues parce que vous n'avez jamais osé le demander ?

Ne perdez plus de temps et rendez vos petits lutins heureux en leur permettant de faire ce qu'ils aiment le plus : vous livrer votre marchandise !

Qu'est-ce qui *serait l'fun si* pour vous ? Essayez-le ! Vous n'avez rien à perdre.

L'argent ne fait pas le bonheur… ni le malheur d'ailleurs !

⸺◦◦◦⸺

« *J'aime la bourgeoisie*
Les vacances à la mer
J'aime la bourgeoisie
Chambre hôtel de luxe
J'aime la bourgeoisie
Et les restos chics. »

J'aime la bourgeoisie
Paroles de Numéro
Interprétée par l'auteur

⸺◦◦◦⸺

« La plus haute finalité de la richesse n'est pas de faire
de l'argent, mais de faire que l'argent améliore la vie. »
HENRY FORD

Lorsque nous parlons de rêves ou de ce que nous aimerions attirer dans notre vie, plusieurs souhaitent davantage de prospérité. Par contre, lorsque nous suggérons de mettre nos rêves par écrit en atelier, certains participants hésitent à demander plus d'abondance, comme si les désirs matériels n'étaient pas bien perçus.

Remarquez comment nous jugeons beaucoup par rapport à l'argent, autant vis-à-vis de la richesse que de la pauvreté.

Je me souviens d'une époque où l'argent me causait bien des maux de tête. Je remboursais alors un prêt étudiant et je possédais une multitude de cartes de crédit toutes plus remplies les unes que les autres. Je n'entrevoyais pas le jour où je pourrais me libérer de ce fardeau financier.

Puis, j'ai découvert le livre *Votre vie ou votre argent* de Joe Dominguez et Vicki Robin. Cette lecture a radicalement changé ma relation avec l'argent. Dans un premier temps, je me suis disciplinée à faire tous les exercices proposés pour m'apercevoir que je perdais beaucoup d'énergie à entretenir un déséquilibre face à l'aspect financier de ma vie. Je me souviens, entre autres, d'un exercice qui consistait à noter toutes les entrées et sorties d'argent pendant un mois complet.

Pour la première fois, je découvrais où allait mon argent et je reprenais peu à peu mon pouvoir. Depuis ce temps, j'ai effectué bien des changements. J'ai surtout pris conscience des croyances limitatives que j'entretenais et je les ai remplacées par de nouvelles convictions plus positives et ayant un pouvoir d'attraction.

Selon de nombreux auteurs, une autre étape fort efficace pour rétablir une saine relation avec l'argent consiste à se défaire du jugement négatif qui y est trop souvent associé. Je me souviens d'un jour où je prenais un repas avec des amis sur une terrasse. Une rutilante Ferrari passa alors devant nous. Quelle ne fut pas ma surprise d'entendre un homme s'exclamer : «En voilà un qui doit faire un commerce malhonnête!» Et si ce monsieur était plutôt une bonne personne qui fait beaucoup de bien autour de lui et en récolte simplement les fruits? Peut-être rêvait-il de cette magnifique voiture? Et si nous applaudissions son accomplissement plutôt que de le juger négativement?

À ce propos, je lisais récemment une explication sur le fait que des joueurs de hockey ou des stars de la chanson gagnent plusieurs millions de dollars. D'abord, l'auteur nous rappelait que ces gens effectuaient un travail qui les passionnait et de plus, ils mettaient à profit leur talent unique. Comme ils avaient un immense impact, il était tout à fait normal qu'ils reçoivent autant. Et vous, qu'en pensez-vous? Êtes-vous à l'aise avec ce genre d'affirmation?

Notre perception de l'argent découlera souvent des enseignements reçus sur le sujet et surtout de ce que nous avons enregistré, quand nous étions enfants, au sujet de la prospérité.

Lorsque j'étais adolescente, ma mère était conseillère en esthétique de l'image. Elle se déplaçait à domicile pour aider des dames à prendre conscience de leurs attributs et faire ressortir leur beauté naturelle.

À son retour à la maison, maman se servait un verre de vin et calculait ses recettes de la soirée. J'adorais la regarder à ce moment-là, car elle irradiait littéralement! Épuisée de sa soirée, mais avec le plus beau des sourires, elle remplissait ses rapports de ventes avec fierté. De mon côté, je me disais que c'était vraiment amusant de pouvoir aider des femmes à se mettre en valeur, les encourageant à se trouver belles, rehaussant leur estime de soi et en plus, de gagner un beau pactole par la même occasion!

Voilà, l'enregistrement était effectué. On pouvait gagner beaucoup d'argent en accomplissant un travail passionnant qui aidait les gens. C'est probablement une des raisons pour lesquelles on m'appelle aujourd'hui « Miss Prospérité ». Pour moi, l'argent n'a plus aucune connotation négative. C'est plutôt le contraire! Et cela m'amuse beaucoup.

De là l'importance de se trouver des modèles positifs par rapport à la prospérité. Si votre programmation est plutôt négative, partez à la recherche de personnes qui font ce qu'elles aiment et ont sensiblement les mêmes valeurs que vous, mais qui vivent la richesse. C'est comme si vous aviez un coffre d'images dans lequel vous feriez un ménage. Vous déterminez les images négatives en vous rappelant que vous n'en avez plus besoin, puis vous remplissez de nouveau votre coffre d'images positives et inspirantes à propos de l'argent.

Tout ce qui existe a une valeur, positive ou négative, selon notre jugement. Si vous choisissez d'aimer l'argent et tout ce qu'il peut vous procurer, vous direz que c'est bon pour vous. Cependant, si vous le condamnez, il vous paraîtra mauvais. Et souvent, remarquez comme nous avons tendance à critiquer ce qui nous manque... Peut-être sommes-nous alors envieux ? Au-delà de tout jugement, l'argent existe tout simplement. Encore une fois, il s'agit de trouver l'équilibre quant à cette question de l'argent.

Si vous parvenez à être bien et heureux en dégustant un bon repas dans le meilleur et le plus cher restaurant de la ville, et que vous êtes tout aussi bien et heureux en mangeant un cornet de frites à la cantine du coin, vous pouvez vous considérer comme équilibré en ce qui a trait à l'argent et au luxe. Ces éléments ne définissent plus votre vie ou qui vous êtes, mais vous êtes capable d'en apprécier les bienfaits.

D'un autre côté, puisque le luxe existe, pourquoi ne pas en profiter ? Il ne s'agit là que d'une expérience de vie après tout !

Imaginez que vous êtes une petite âme s'apprêtant à s'incarner sur terre et que vous ayez un aperçu de ce que peut être l'aventure de l'incarnation physique. Vous voyez que sur la terre, vous avez la possibilité de goûter les meilleurs mets, de voyager à travers les plus beaux pays du monde en prenant l'avion, et en première classe de surcroît. Vous vous diriez peut-être : « *Wow ! Je veux essayer cela !* » Mais il se pourrait aussi que ces choses ne vous intéressent pas. C'est une question de choix. Il n'y a rien à juger, seulement à vivre et laisser vivre. Encore une fois, il suffit de permettre à la vie de nous offrir ses plus beaux cadeaux et de les apprécier si tel est notre désir, bien sûr !

L'art de permettre

« *Tu verras, tu verras*
Tout recommencera, tu verras, tu verras
La vie, c'est fait pour ça, tu verras, tu verras. »

Tu verras
Paroles de Claude Nougaro
Interprétée par l'auteur

« L'avenir n'est jamais que du présent à mettre en ordre.
Tu n'as pas à le prévoir, mais à le permettre. »
ANTOINE DE SAINT-EXUPÉRY

En parlant de la loi de l'attraction, on enseigne que l'étape qui semble la plus simple s'avère souvent la plus difficile à franchir. Une fois que nous avons établi ce que notre âme veut, la vie nous répond, mais nous devons en permettre la manifestation. Il faut alors demeurer confiant, ouvert et lâcher prise. Nous avons tout intérêt à être dans de bonnes dispositions. Un sentiment de joie, de liberté et de bien-être peut être le plus puissant aimant pour attirer de nombreux bienfaits.

Au moment où j'écris ces lignes, je viens tout juste de terminer un appel téléphonique avec un jeune homme rencontré lors d'un atelier donné avec mes collègues Marc Fisher et Guy Bourgeois. Je me souviens encore de son dynamisme et de sa joyeuse personnalité lorsqu'il était venu me saluer. Ce jeune homme m'appelait aujourd'hui pour me dire à quel point sa vie est en train de se transformer depuis qu'il a assisté à ce séminaire. Il me racontait avoir fait de profitables acquisitions immobilières et disait se sentir dans un état de constante gratitude et de joie de vivre.

Très touchée par son témoignage, j'ai réalisé à quel point il était la preuve que lorsque nous sommes ouverts et prêts à recevoir, la magie de la vie se met à opérer et les choses se transforment d'elles-mêmes. Combien de personnes ont assisté à cette même journée sans en avoir autant récolté? On dit que lorsque l'élève est prêt, le maître apparaît…

Peu importe les auteurs, les animateurs ou les conférenciers, ces gens, s'ils sont « branchés sur leur cœur », serviront peut-être simplement de canal pour vous transmettre précisément le message que vous aviez besoin d'entendre afin de poursuivre votre cheminement.

La première fois que j'ai eu à donner une conférence devant plus de sept cents personnes, j'étais complètement terrorisée. Cachée derrière le rideau, avant d'entrer en scène, je pensais que j'allais m'éva-nouir. En état de panique, j'avais l'impression d'avoir tout oublié ce que je m'apprêtais à dire. C'est alors qu'Yves, le producteur de l'événement (et aujourd'hui mon amoureux), m'a gentiment offert son truc pour m'aider à diminuer mon stress.

En me tenant les mains, il me suggéra de fermer les yeux. Puis, il m'invita à demander l'inspiration nécessaire pour dire aux gens dans la salle ce qu'ils avaient le plus besoin d'entendre. À son avis, j'émet-tais alors une intention pure d'être le canal par lequel ces personnes recevraient ce qu'elles étaient venues chercher. Tout de suite après, je me suis sentie apaisée, comme libérée d'un lourd fardeau. Et c'est dans cet état d'esprit léger et joyeux que je me suis présentée sur scène ce soir-là et surtout que j'ai pu donner le meilleur de moi-même.

Aujourd'hui, chaque fois que je m'apprête à prendre la parole en public, je refais cette courte invocation. Et je pense qu'elle peut servir de diverses façons. Il suffit de faire confiance et d'entrer dans le courant. C'est fou comme on devient alors plus pré-sent à ce qui se passe et donc, plus performant.

Pour chaque action que vous vous apprêtez à faire et qui vous stresse, vous pourriez effectuer ce genre de prière pour ainsi permettre à la vie de vous soutenir.

En vieillissant, j'apprécie de plus en plus cette connexion divine, cette façon de vivre davantage dans le lâcher-prise en croyant que la vie nous vient en aide si on lui ouvre la porte. Plus nous nous assurerons d'être bien, plus nous ferons ce que nous aimons, plus nous aurons l'occasion de nous brancher sur ce que j'appelle le « courant de la grâce ».

Imaginez-vous dans une petite embarcation voguant sur la rivière. N'est-ce pas plaisant de se laisser aller au gré du courant en profitant des beautés de la nature qui défilent ? C'est forcément beaucoup plus facile et agréable que de pagayer à contre-courant !

Pourtant, nous avons tous nos périodes plus sombres ou nos « mauvaises passes », vous savez le genre de période où on a l'impression que le mauvais sort s'acharne contre nous.

Lorsque nous étions petits, mon frère et moi nous amusions à créer du courant dans la piscine pour ensuite tenter d'aller à contre-sens. Il fallait alors y mettre toutes nos forces et nous nous rendions rapidement compte qu'il était beaucoup plus facile et agréable de demeurer dans le sens du courant.

Quand tout semble noir et difficile, c'est souvent que nous sommes pris dans un tourbillon négatif, à contre-courant. La seule chose que nous pouvons faire est d'abord de s'arrêter pour reprendre pied et raffermir notre position afin de se remettre dans le bon sens du courant. L'heure du bilan a sonné et il faut se demander de nouveau ce que nous désirons pour l'avenir. Par la suite, nous serons mieux outillés pour revenir dans le bon sens du courant et reprendre le contrôle de notre vie. Pour amorcer le processus, il suffit de prendre conscience de nos petits instants de bonheur, ces petites choses qui nous font sourire.

Tout comme la nature, la vie a ses cycles et la sagesse de l'être humain consiste à les accepter en sachant qu'après la pluie vient toujours le beau temps. Pensez à toutes ces fois où vous vous êtes ressaisi pour revenir dans le sens du courant. Ces expériences vont ont probablement permis d'évoluer. Soyez-en fier et surtout, rappelez-vous que vous détenez le pouvoir et la force qu'il faut pour vous créer une vie à votre mesure. Sinon, vous risqueriez de finir comme la grenouille dans l'histoire qui suit…

Il était une fois une grenouille qui aimait vivre dans l'eau froide. Un jour, on la sortit de son eau froide pour la mettre dans l'eau chaude. Elle en ressortit immédiatement, sachant pertinemment que cette situation ne lui convenait pas, que ce n'était pas ce qu'elle voulait. Par contre, un autre jour quelqu'un commença à hausser tranquillement la chaleur de son eau en ajoutant un peu d'eau chaude à la fois. Petit à petit, la grenouille s'adapta à son nouvel environnement. Plus la chaleur augmentait, plus la grenouille s'accoutumait jusqu'au jour où elle en mourut. Triste histoire quand on pense qu'elle aurait pu décider de sortir de cette situation qui ne la satisfaisait pas à plus d'une reprise.

N'avons-nous pas tendance à imiter cette grenouille parfois ? Une situation ne nous convient plus, mais nous continuons d'endurer, de nous adapter en quelque sorte. On dirait que parfois, il est plus facile de demeurer dans un malheur devenu commode que d'agir pour nous en sortir. Nous n'irons peut-être pas jusqu'à littéralement mourir comme la grenouille, mais il se pourrait qu'on vive de «petites morts»… une dépression, une perte d'emploi, une séparation, un accident…

N'attendez pas de faire comme la grenouille et de vous laisser mourir à force de vous adapter à une situation qui ne vous convient plus. Mettez un terme à l'acharnement et retrouvez plutôt le sens du courant… celui de la grâce bien sûr!

Mon âme sait...

⚬⚬⚬

« Que m'importe le ciel, que m'importent les dieux,
Je veux ouvrir mes ailes, je veux ouvrir mes yeux,
Que m'importe le ciel, je vivrai pour l'essentiel,
Je vivrai pour être heureuse... »

Naître
Paroles de Claude Senécal
Interprétée par Marie-Chantal Toupin

⚬⚬⚬

« Apprenez à vous mettre en contact avec le silence intérieur,
et sachez que tout ce qui arrive en cette vie a un but. »
ELISABETH KÜBLER-ROSS

En 2005, je me suis mariée avec un homme que j'aimais plus que tout. J'étais convaincue qu'il était l'homme de ma vie, le seul que je pourrais aimer autant. Au moment de notre mariage, nous nous fréquentions déjà depuis plusieurs années.

Un soir de novembre en 2006, soit à peine un an et demi après notre mariage, cet homme me remit une lettre m'expliquant que, sans trop savoir pourquoi, il m'aimait moins… Le choc fut énorme. Dès le lendemain matin, j'étais de nouveau chez une thérapeute essayant de comprendre ce qui m'arrivait, mais surtout recherchant la formule magique qui me permettrait de sauver cette relation et d'être totalement aimée de mon mari à nouveau.

Pendant plusieurs mois, j'essayai toutes sortes d'exercices pour rallumer la flamme. Chaque matin, je me concentrais sur le positif de notre relation. J'essayais d'être davantage à l'écoute, présente à lui. Aujourd'hui, je réalise que je m'étais complètement oubliée dans le but de « sauver la face », comme on dit, et de permettre à cet amour de revivre. J'eus toutefois un éclair de lucidité au début de l'été et je décidai de me louer une maison à Lac-Beauport près de Québec pour prendre un temps d'arrêt et de réflexion.

Nous étions en mai et je cherchais une maison à louer pour le mois de juin. Vous auriez dû entendre les commentaires de certaines personnes autour de moi… On ne croyait pas que je puisse trouver une maison aussi rapidement. On me disait qu'il était trop tard, que les maisons disponibles avaient sans doute déjà trouvé preneurs. Heureusement, plusieurs de mes amies croient en la magie de la vie. C'était le cas de Dominique (une autre que celle de l'ange… c'est à croire que je les collectionne !) qui habitait à Lac-Beauport et qui décida de m'aider dans mes recherches. Elle avait vu une affiche à l'épicerie annonçant une maison à louer au bord d'un petit lac privé. Sans attendre, elle décida d'aller la visiter en se disant qu'elle me connaissait assez pour se faire une bonne opinion.

Arrivée sur la rue, elle ne parvenait pas à trouver ladite maison. Après quelques allers-retours sur la même artère, elle arrêta la voiture et vérifia l'adresse exacte. Au même moment, à la radio, la chanson *Love Generation* de Bob Sinclar se mit à jouer. Dominique trouva la situation plutôt cocasse puisqu'il s'agissait de la chanson utilisée pour la finale de mes conférences à l'époque.

Comme un signe du destin, en regardant plus attentivement, elle aperçut derrière les arbres une coquette maison jaune affichant précisément le numéro d'immeuble recherché. Aussitôt entrée dans la maison, elle sut que c'était l'endroit parfait pour moi. Elle vérifia tout de même auprès de la propriétaire s'il était possible que j'y amène aussi mon cher perroquet, Chopin. Et comme un signe du destin n'arrive jamais seul, la propriétaire s'avoua surprise de cette demande puisque récemment, elle avait rêvé qu'un perroquet venait vivre dans sa maison. Ne comprenant pas trop le sens de ce rêve et n'ayant nullement l'intention d'en adopter un, elle avait pris cela comme une inspiration et peint une toile représentant des perroquets. Plus de doute possible, je venais de trouver mon petit havre de paix pour l'été.

Je pourrais écrire un livre complet sur toutes les merveilleuses synchronicités vécues dans cette charmante maison de Lac-Beauport. Je m'y sentais revivre. J'avais souvent l'âme en peine, mais j'étais également convaincue que je traversais une étape importante de ma vie. Petit à petit, je développais une belle amitié avec un producteur qui m'avait déjà engagée comme conférencière et qui habitait également à Lac-Beauport.

Je me souviens encore de ce matin pluvieux où j'étais particulièrement triste. Je voulais croire que tout s'arrangerait, mais la souffrance était telle que je ne parvenais plus à voir la lumière… Il me suggéra alors de penser à un petit être venant au monde. Quelque temps avant l'accouchement, il est confortablement installé dans le ventre de sa mère. Ses besoins sont comblés et il vit dans une belle zone de confort, en toute sécurité. Puis, tout à coup, c'est le grand bouleversement. Tout se met à bouger et il ne comprend pas ce qui lui arrive. C'est tellement douloureux qu'il ne souhaite qu'une chose, revenir à sa situation confortable. Il a peur de ce qui se prépare, de ce qui l'attend. Mais immédiatement après ce passage difficile, il naît à la vie. C'est le début d'une extraordinaire expérience dans un monde de nouvelles possibilités.

Aujourd'hui, je comprends que nous avons parfois à renaître dans la vie. Après les passages difficiles et ombrageux se trouve souvent une lumière encore plus étincelante. Maintenant, lorsque je vis des périodes éprouvantes, je me dis que je suis probablement en train de renaître à quelque chose de mieux. Si vous adoptez cette façon de voir la vie, l'aide nécessaire à la transition viendra plus aisément. Encore faut-il parfois savoir lâcher prise!

Au terme de cet été à Lac-Beauport, je pris une autre grande décision. Je quittai mon mari et la maison de Boucherville pour revenir vivre dans la région de Québec, plus près de ma famille et de mes amis de longue date. Pendant l'été, une nouvelle force semblait s'être manifestée à l'intérieur de moi et j'en étais venue à l'évidence que cette relation ne pourrait se renouveler.

Le jour de mon déménagement, j'étais sur l'autoroute 20 au volant d'un petit camion contenant uniquement mes boîtes de livres et mes affaires personnelles. Je pleurais (eh oui... encore!) en réalisant l'ampleur de ce qui m'arrivait. Je retournais vivre auprès de mes proches, mais devant un avenir plutôt incertain. Je ne savais pas exactement comment je réussirais à gagner ma vie et à subvenir à mes besoins.

J'avais loué un chalet de ski meublé pour trois mois à un prix dérisoire. Je ne saurais dire exactement où, entre Boucherville et Québec, mais je vécus une grande expérience de lâcher-prise. Comprenant difficilement ce qui venait de m'arriver et ne parvenant pas à voir l'avenir, je choisis alors pour la première fois de ma vie de m'adresser à mon âme. Peut-être savait-elle mieux que moi ce qui était en train de se passer? Je voulais bien croire que rien n'arrive pour rien, alors je l'implorai de me guider, d'éclairer mon chemin et je lui fis la promesse de la suivre dans cette nouvelle aventure qui s'amorçait.

Encore une fois, la vie m'avait offert un cadeau malgré cette rupture. J'allais apprendre à voler de mes propres ailes et enfin répondre à l'appel de mon âme. Dans les mois qui ont suivi, tout s'est placé pour me faciliter l'existence. C'est à cette époque que j'ai commencé à animer à la radio et j'ai pu me louer un condo et y trouver refuge. C'était la première fois que je demeurais seule et que je pouvais décorer à mon goût et faire les choses à ma façon. Cette transition me fut des plus bénéfiques.

Un immense espace se créait en effectuant ce lâcher-prise. Encore une fois, je faisais un grand ménage qui m'aidait à me libérer de ce qui me bloquait pour faire place à mieux. C'est une merveilleuse façon d'attirer tout plein de nouveautés dans notre vie.

Zoé

« Tel est mon destin
Je vais mon chemin
Ainsi passent mes heures
Au rythme entêtant des battements de mon cœur. »

Destin
Paroles de Jean-Jacques Goldman
Interprétée par Céline Dion

« En vous, se trouve une capacité divine d'attirer à vous
et de matérialiser tout ce dont vous avez besoin
et tout ce que vous désirez. »
WAYNE W. DYER

Depuis l'époque de ma séparation, j'ai eu l'occasion de vivre plusieurs autres expériences de
lâcher-prise au point où c'est maintenant devenu
pour moi une nouvelle façon de vivre. Dans les débuts
de ma relation avec Yves, mon amoureux actuel, nous

avions l'habitude d'échanger sur nos rêves respectifs. Un jour où nous marchions dans le Vieux-Québec, je suggérai qu'on s'arrête à la boutique de Noël, pour faire vibrer notre cœur d'enfant. Je me promenais allègrement dans le magasin jusqu'au moment où je réalisai qu'Yves n'était plus à mes côtés.

Je le retrouvai dans la section des peluches tenant un petit labrador en toutou dans ses bras. La larme à l'œil, il m'avoua son rêve d'adopter un chien de cette race. Il en avait eu quelques-uns par le passé, entre autres à titre de famille d'accueil pour la fondation Mira. Zoé, la dernière, lui manquait. Il avait dû s'en départir lors de son divorce. Je sus immédiatement ce qu'il fallait faire. Saisissant le chien en peluche, je passai à la caisse en disant à la blague : « Ce sera pour une adoption ! » Nous allions utiliser la peluche comme outil de visualisation.

Quelques jours seulement après cet événement, je reçus un courriel d'une femme rencontrée lors d'une conférence. L'une de ses amies avait dû déménager dans un appartement à la suite de la perte de son emploi. Cette nouvelle situation l'obligeait à se départir de sa chienne. Elle ne voulait pas la vendre, mais plutôt la donner à quelqu'un qui, selon elle, serait le maître idéal. Une photo était jointe au courriel et quelle ne fut pas ma surprise d'y apercevoir une magnifique labrador prénommée… Zoé ! Un frisson me passa sur le corps et je m'empressai de transférer ce courriel à Yves. Aujourd'hui, nous avons le bonheur de vivre avec cette adorable chienne qui j'ose croire, nous était également destinée ou du moins répondait parfaitement à notre commande (notre « quoi ? »).

Parfois aussi, quand on y pense, on réalise que tout semble interrelié… comme les pièces d'un puzzle qui retrouveraient leur place pour nous offrir une image plus claire. L'attraction de Zoé m'a rappelé un événement étrange vécu l'été où je louais une maison à Lac-Beauport.

Un jour où je faisais ma promenade autour du lac, un chiot labrador m'avait suivi jusque chez moi. Pendant les trois jours que nécessitèrent les recherches pour retrouver son maître, j'avais eu le temps de réfléchir à la possibilité de l'adopter. S'il m'arrivait un jour de vivre seule, sans mon mari, ce serait une bonne idée d'avoir un chien en guise de protection.

Aujourd'hui, je regarde Zoé et je me demande si la vie ne m'envoyait pas un signe à l'époque… Toutefois, jamais je n'aurais pu imaginer qu'un jour j'allais vivre avec un homme, ses trois adolescents et son labrador. Pourtant, mon rêve d'avoir un chien se réalisait. Comme quoi la vie est vraiment une aventure fascinante !

La maison du bonheur

———❦———

« Voici les clés de ton bonheur, il n'attend plus que toi. »
Voici les clés
Paroles de Gérard Lenorman
Interprétée par l'auteur

———❦———

« Préparez votre esprit à recevoir ce que la vie
a de mieux à vous offrir. »
ERNEST HOLMES

Voici à ce jour, la plus merveilleuse histoire de
visualisation et de lâcher-prise que j'aie pu expérimenter.

Depuis environ un an, j'entretenais le rêve
d'acheter une maison à Lac-Beauport. Deux grands
tableaux de visualisation représentaient parfaitement
les détails de la maison recherchée. Sise sur un grand
terrain rempli d'arbres, elle se voulait invitante et

chaleureuse. Ses boiseries lui donnaient beaucoup de cachet tout comme les nombreuses bibliothèques encastrées dans les murs. On y retrouvait un grand bureau paisible et inspirant. La chambre principale était magnifique et apaisante, pourvue d'une grande penderie et d'une salle de bain attenante. La cuisine, avec ses grandes armoires blanches, serait l'endroit idéal pour recevoir la famille et les amis.

Parfaitement heureuse en couple avec Yves et m'entendant à merveille avec ses enfants, je craignais toutefois de briser l'harmonie actuelle en allant vivre tous ensemble sous le même toit. Les trois dernières années m'avaient permis de retrouver mon équilibre et ma stabilité, ce que je ne voulais absolument pas risquer de perdre de nouveau. Je devenais parfaitement autonome et j'y prenais goût.

Toutefois, après dix mois de recherches infructueuses et n'ayant pas renouvelé mon bail de location, je pressentis alors un léger sentiment d'affolement m'envahir… Ce sentiment s'intensifia lorsque j'appris que mon condo avait été loué pour le premier juillet. Je devenais donc sans domicile fixe à compter du trente juin si je ne trouvais pas la maison recherchée.

Une nuit, je me réveillai en état de panique. Pour me calmer, je demandai encore une fois l'aide de mes guides en leur promettant de complètement lâcher prise. Mon désir était clair et je pouvais le ressentir dans toutes les fibres de mon corps, alors il y avait certainement quelque chose qui bloquait le processus. Est-ce que je cherchais au bon endroit?

Est-ce que j'avais bien évalué mon besoin véritable? Je demandai à obtenir ce qui était le mieux pour moi. J'étais prête à tout et je fis confiance. Mais je rappelai à mes guides que j'aimais les belles surprises et qu'ils pouvaient m'impressionner. Souvenez-vous, j'avais fait sensiblement la même chose lors de mon retour à Québec après ma séparation.

Le reste de l'histoire est absolument magique…

Le lendemain, je reçus un appel d'une nouvelle amie numérologue m'ayant déjà prédit que je trouverais ma maison de rêve cette même année. Elle me suggérait de lire un livre et surtout d'utiliser la méthode qui y était proposée. Désirant à tout prix que j'effectue l'exercice le plus rapidement possible, elle vint me le porter chez moi juste avant l'heure du dîner. Intriguée, je passai la soirée plongée dans ma lecture. L'exercice suggéré, promettant l'accomplissement d'un miracle (rien de moins!), me parut trop long et compliqué. J'eus plutôt l'idée de m'en inspirer pour en créer un nouveau que je testai sur-le-champ! (Et vous pourrez l'expérimenter aussi si vous vous rendez à la fin de ce livre…)

Juste avant d'aller au lit, je vérifiai mes courriels une dernière fois pour y découvrir celui d'une femme que je côtoie de temps à autre et qui me surnomme amicalement la «Oprah du Québec». Des amis à elle se séparaient et mettaient leur maison à vendre précisément à Lac-Beauport.

En apercevant les photos jointes au courriel, j'eus un premier coup de cœur. Je communiquai immédiatement avec la propriétaire, une femme charmante qui disait avoir l'impression de me connaître un peu grâce à mes conférences et mon cheminement dans les médias. Elle me raconta qu'à l'heure du souper, elle avait fait ses bénédictions à l'extérieur en assurant à la maison et aux fleurs aux alentours qu'elle trouverait quelqu'un en mesure de leur donner autant d'amour qu'elle l'avait elle-même fait au cours de ces dernières années.

Le lendemain, en me garant dans l'entrée pour une visite, je sus que c'était la maison tant recherchée. Je me souviens d'avoir dit à mon amoureux : « Bienvenue dans la maison du bonheur ! » À ce moment-là, je compris que je devais aller y vivre avec Yves et ses garçons. Il n'y avait plus de doute possible. Le message était clair et je réalisai que c'était probablement la raison pour laquelle je ne parvenais pas à trouver. Je devais vaincre ma peur de perdre ma nouvelle autonomie et me lancer dans cette nouvelle aventure.

La visite des lieux n'a fait que confirmer mon sentiment initial. Et c'est dans la pièce qui me sert de bureau, bibliothèque et salon privé que je tombai éperdument amoureuse de l'endroit. J'en eus presque un fou rire en réalisant que cette pièce ressemblait étrangement au bureau d'Oprah Winfrey que j'avais vu un jour et qui était devenu un rêve pour moi.

Dès le lendemain, je rencontrais les propriétaires afin que nous nous entendions sur un prix. J'avais toujours dit que je n'aimais pas le processus interminable d'offre et contre-offre. Je rêvais de pouvoir trouver un accord optimal qui convienne à toutes les parties impliquées. C'est précisément de cette façon que se régla l'achat de la maison. Et autre élément un peu bizarre, ma copine numérologue m'avait rappelée le matin pour me raconter son rêve de la nuit précédente. Elle était dans la maison avec moi et j'offrais un montant pour l'achat. Ce montant était plutôt dérisoire, mais dans le rêve, les vendeurs me disaient qu'ils s'attendaient à cette offre. Comme vous vous en doutez, c'est effectivement le montant que j'offris et qui me permit d'obtenir la maison pour un prix encore plus bas que ce que j'aurais imaginé.

Tout ce qui apparaissait sur mes tableaux de visualisation se retrouvait dans cette maison. Après la visite, les événements se sont enclenchés selon un rythme parfait. Nous venions d'entrer dans le courant de grâce. Comme pour mettre la cerise sur le gâteau, même l'adresse semblait porteuse d'un message. Elle correspondait au sept en numérologie, ce qui évoque un lieu choisi pour avoir son coin bien à soi (exemple : coin de lecture), où on venait vivre pour y développer l'épanouissement intellectuel ou spirituel.

De plus, je prends conscience aujourd'hui de la réalisation d'un autre grand rêve grâce à cette maison. En me libérant de mon blocage et en acceptant d'aller au-delà de mes peurs, j'ai découvert l'immense bonheur de vivre en famille. Ma vie est devenue encore plus joyeuse grâce à trois magnifiques garçons !

Notre devoir : trouver la joie !

———— ◆◆◆ ————

« *Y a d'la joie bonjour bonjour les hirondelles*
Y a d'la joie dans le ciel par-dessus le toit
Y a d'la joie et du soleil dans les ruelles
Y a d'la joie partout y a d'la joie. »

Y a d'la joie
Paroles de Charles Trenet
Interprétée par l'auteur

———— ◆◆◆ ————

« D'année en année, notre monde tourbillonnant devient
de plus en plus complexe et déroutant ; c'est pourquoi
il nous faut de plus en plus chercher la paix et
le bien-être dans les petits plaisirs de la vie. »
WOMAN'S HOME COMPANION

Puisque tout ce que nous voulons transformer,
améliorer ou attirer est dans le but d'être heureux,
pourquoi ne pas inverser le principe et rechercher
d'abord ce sentiment de plaisir ? Nous pourrions

alors vivre de façon plus légère et agréable, sachant
que peu importe ce qui nous arrive, nous avons toujours la possibilité de retrouver le bonheur. Il deviendrait notre état naturel et la réalisation de nos rêves
ne ferait qu'ajouter de l'agrément. Et si le meilleur
chemin pour en arriver à cet état consistait à trouver
la joie au quotidien? Puisque nos émotions et nos
vibrations produisent un effet sur notre corps, notre
esprit et même sur notre entourage, nous avons tout
intérêt à reprendre la responsabilité de notre bien-
être et à faire ce qu'il faut pour être heureux.

Qu'est-ce qui vous fait du bien?

Peut-être êtes-vous comme moi une mélomane
qui peut facilement se laisser transporter par la
musique? Je pense à un DVD de Il Divo, entre autres.
On s'y retrouve lors d'un spectacle du groupe en
plein air, dans un Colisée en Croatie. Les quatre
beaux jeunes hommes nous interprètent des pièces
telles qu'*Amazing Grace* et *Hallelujah*. Lorsque je
visionne ce spectacle, je me sens en état de profonde
gratitude, totalement émerveillée. J'ai alors l'impression que mon corps vibre différemment et qu'il est
apaisé. Cela me fait un bien immense.

Aimez-vous regarder des films, aller marcher
dans la nature, prendre un bain avec mousse et chan-
delles ou encore un café au soleil le matin? Il existe
une multitude de petites choses que nous pouvons
intégrer dans notre quotidien pour nous assurer
d'être bien. Toutefois, lorsque nous sommes pris
dans un tourbillon négatif, nous avons tendance à
perdre momentanément la mémoire et à oublier que

nous avons ce grand pouvoir de transformer notre état d'être.

Pour vous donner des exemples et vous aider à déterminer vos petits plaisirs, voici ma propre liste d'idées ou d'actions qui me font du bien. Vous pourriez vous inspirer des paroles de la chanson *Mes joies quotidiennes* dans le film *La mélodie du bonheur* pour créer votre liste.

Mes joies quotidiennes

- Le matin, au réveil, rester quelques minutes supplémentaires au lit pour penser à ce que j'aimerais attirer dans ma journée ou dans ma vie.
- M'installer devant la fenêtre avec Chopin, mon perroquet, et s'émerveiller ensemble en regardant les oiseaux et autres beautés de la nature.
- Lire un bon livre ou savoir que j'en ai un nouveau qui m'attend !
- Aller marcher autour du lac ou ailleurs dans la nature.
- Prendre un verre de mousseux (ou de champagne).
- Déguster un bon repas avec des gens que j'aime.
- Donner une conférence ou un atelier sur des sujets qui me passionnent.
- Me faire masser les pieds.

- Me blottir dans les bras de mon amoureux.
- Me faire coiffer.
- Écouter de la musique.
- Danser.
- Feuilleter des magazines et découper des images pour mes tableaux de visualisation.
- Profiter des derniers rayons de soleil de la journée sur un terrain de golf.
- Etc.

La liste pourrait s'étirer encore, mais l'important demeure de prendre conscience de toutes ces actions faciles à entreprendre qui nous aideront à mieux nous sentir.

Certains gestionnaires ont tellement bien compris l'importance du plaisir dans la vie qu'ils en ont créé un poste au sein de leur entreprise. Alors que je séjournais dans un hôtel de Maui pour les vacances, j'ai rencontré le *Fun Director*, celui qui a pour mission de s'assurer que les clients de l'hôtel s'amusent. Quelle idée géniale! Toutes les entreprises devraient créer ce type de poste. Ce rôle pourrait également être attribué à un membre par famille. Chaque mois, on organiserait une petite fête pour nommer le nouveau *Directeur du plaisir*.

Voici donc le défi à relever et probablement une des solutions au stress que nous vivons de plus en plus. Prenez soin de vous et amusez-vous davantage! Cela vous fera le plus grand bien. Des études prouvent que notre système immunitaire s'en trouve fortifié.

D'ailleurs, plusieurs médecins commencent à inté-grer cette notion dans leur pratique. Dans son livre, Evelyne Bissone Jeufroy raconte l'histoire de Carl Simonton, un cancérologue qui a mis au point l'ordonnance de *quatre plaisirs par jour, au minimum !* Et vous, quels seront vos quatre plaisirs aujourd'hui ?

Ralentir et observer…

« Laisse passer, laisse passer
et le temps et le temps et le temps et le temps
et le temps
te le réglera
okay, okay … bien. »

Un peu d'amour ou d'amitié
Paroles de Louis Amade
Interprétée par Gilbert Bécaud

« Le plus souvent, on cherche le bonheur comme
on cherche ses lunettes, quand on les a sur le nez. »
ANDRÉ MAUROIS

À la dernière émission de *Star Système*, lorsque
Marc Labrèche demanda à Herbie Moreau ce
qu'il ferait l'année prochaine, il répondit : « Je prends
mon temps alors qu'avant je n'avais pas le temps de
le prendre. »

Lors d'un gala Artis, François Morency faisait une parodie d'un gala en accéléré. On a bien ri, mais on a surtout compris qu'à vouloir aller trop vite, on passe à côté de tout. On finit la course essoufflé avec un sentiment de vide intérieur.

Aujourd'hui, nous faisons face à un nombre grandissant de maladies mentales et physiques et quand cela arrive, les gens réagissent presque tous de la même façon. Ils s'arrêtent et font leur bilan puis surtout, ils s'assurent de profiter davantage de la vie, de prendre le temps de vivre. Et tout d'un coup, leur vie prend un nouveau sens et la magie se remet à opérer…

Nous pourrions faire la différence entre le *temps humain* et le *temps divin*. Le premier est très rapide et épuisant. Il y a tant à faire… La plupart des gens se disent débordés et tellement fatigués. Ils font des plans, établissent des objectifs et se plaignent que les choses n'arrivent pas assez vite.

Puis, d'un autre côté, il y a le *temps divin*, celui qui nous permet de réaliser nos rêves au bon moment. C'est le moment présent. Quand on est vraiment dedans, on comprend que le temps n'existe pas. On se met à savourer chaque petite parcelle de vie et à s'émerveiller de tous les cadeaux qui nous sont offerts.

Nous nous alignons sur ce que j'appelle le « courant de la grâce ». Nos actions deviennent plus efficaces parce que plus inspirées. Nous sommes en mesure de voir les synchronicités de la vie et nos sens deviennent plus aiguisés. Il n'y a rien de surprenant à ce que les choses arrivent comme par magie !

Voilà ce que c'est pour moi le temps divin. Son rythme est celui de la nature et de l'éternel, celui qui prend son temps en sachant pertinemment que tout vient à point à qui sait attendre...

Un après-midi, je relaxais au bord de la piscine et quelle ne fut pas ma surprise de voir arriver une nouvelle baigneuse ailée. Devant moi se trouvait une belle cane ayant probablement décidé de s'offrir elle aussi un après-midi de relaxation. J'ai dû passer une bonne heure à l'observer. Elle se baignait, s'amusait et sortait de temps à autre pour faire la sieste. En la regardant, je me suis dit que la nature nous apportait souvent de brillants exemples de ce qui est bon pour nous.

Quand on y pense, les animaux vivent vraiment dans le moment présent. Ils suivent le rythme de la vie, sans rien brusquer. Ils savent qu'il y a un temps pour chaque chose. Avez-vous déjà vu un oiseau complètement débordé ?

Peu importe la période de l'année, prenez exemple sur eux et arrêtez-vous plus souvent pour ne rien faire. On dit que *la paresse est l'art de l'âme.* N'est-ce pas une superbe citation pour enlever toute trace de culpabilité ? Et souvent, vous remarquerez que les meilleures idées nous viennent en plein farniente. Le *dolce farniente,* comme diraient les Italiens. C'est la douceur de ne rien faire et de vivre tout simplement.

La vie va tellement vite. Trop souvent, nous sommes davantage en réaction face aux événements. Dépêchons-nous de trouver du temps pour ralentir et profiter de la vie. À quand remonte la dernière fois où vous êtes allé vous asseoir sur un banc pour tout bonnement regarder la vie et les gens défiler?

De passage à l'Université Bishop à Lennoxville pour une conférence, par une fin d'après-midi plutôt grise, je regardais les étudiants retournant tranquillement chez eux après leurs cours. La plupart étaient habillés confortablement, un chaud bonnet et un long foulard enroulé autour du cou. On aurait dit que le temps était au ralenti…

Arrivée à la salle de conférence, comme j'avais du temps devant moi, j'ai décidé de lire un peu pour me détendre. Ce soir-là, plusieurs synchronicités se sont produites et on aurait dit qu'il y avait de la magie dans l'air. Et si tout cela était arrivé parce que j'avais pris le temps? Pas de «rush», pas de stress, juste l'appréciation du moment qui passe.

Fait plutôt curieux, lorsque vous déciderez de ralentir le rythme pour prendre le temps de vivre davantage, on vous croira peut-être malade ou en train de frôler la folie… On s'imaginera que vous allez à contre-courant, que vous sortez du rang. Mais vous saurez que c'est parfaitement le contraire, car vous serez dans le courant de la grâce et la vie vous le prouvera en vous comblant de ses offrandes. Et si vous poursuivez dans cette voie, vous deviendrez même un modèle pour votre entourage en inspirant les autres à en faire autant.

Encore une fois, soyez créatif pour passer à travers cette période de changement. Faites les choses autrement. Vous pourriez vous fabriquer une affiche pour mettre à l'entrée de votre maison. Il y sera écrit :

Ici, on ne passe pas notre temps à faire du ménage. On préfère prendre le temps de faire l'amour plus souvent, de rire davantage et de vivre intensément chaque moment qui passe.

Vos invités entreront le sourire aux lèvres, heureux d'avoir enfin découvert votre secret ! Et qui sait, peut-être souhaiteront-ils en faire autant… Une chose est sûre, vous ne verrez plus la poussière de la même manière !

Éloge du petit

⸺⸺⸺

*« Je vais te faire une petite chanson, pour que tu puisses
la chanter à ton tour,
Je la ferais simple comme bonjour, tu pourras
la chanter sur tous les tons. »*

Une petite chanson pour Étienne
Paroles de Georges Moustaki
Interprétée par l'auteur

⸺⸺⸺

« C'est dans la rosée des petites choses que le cœur
trouve son matin et se rafraîchit. »
KHALIL GIBRAN

Avez-vous remarqué comme nous avons tendance
à utiliser fréquemment le mot « petit » dans nos
conversations ? Nous invitons les gens à venir faire un
« p'tit tour », offrons une « p'tite soupe » à manger
ou un « petit quelque chose » en cadeau. On prend
des petites pauses, on a des petites attentions.

Typiquement québécois peut-être ? Fatiguant pour quelques-uns dont un patron à la radio qui en avait assez de nous entendre parler de ces petites choses et qui nous rappelait qu'il ne voulait pas faire de la petite radio ! Et pourtant, ne dit-on pas que dans les petits pots se trouvent les meilleurs onguents ?

Aujourd'hui, avant d'écrire ce texte, je suis allée faire ma promenade quotidienne autour du lac et j'ai aperçu une toute petite coquille au bord du chemin. C'était probablement un escargot, mais je n'avais jamais vu ce genre de coquille jaune auparavant. Et du même coup, je me suis demandé comment j'avais pu la remarquer. Sur neuf kilomètres de marche, elle représentait l'infiniment petit. Mais elle a attiré mon attention, et ce à tel point que je suis en train de vous écrire à son propos. Je me suis arrêtée pour l'admirer et c'est alors que j'ai fait cette prise de conscience : le petit est important, il peut même devenir grandiose dans nos vies si on se donne la peine de le remarquer !

Nous avons parfois tendance à rechercher les moments extraordinaires, l'ivresse des grandes passions ou à avoir la folie des grandeurs. On pense qu'on impressionnera davantage si on réalise de grandes choses ou si on devient quelqu'un d'important. Pourtant, la vie risque de devenir bien essoufflante si notre quête se limite à tout ce qui peut paraître immensément grand ou magistral.

Je vous propose plutôt la complaisance dans le petit. Quand on y pense, la vie est faite d'une série de petits moments qui, accumulés, nous feront dire qu'elle a été bien remplie et valait certainement la peine d'être vécue. Alors, recommençons à voir les petites choses, à remarquer les petits détails qui font toute la différence. Et vivons donc un petit moment à la fois en profitant pleinement de ce qu'il a à nous offrir.

En développant cette attention à tous les «petits», nous aurons le sentiment de plénitude. Plutôt que de rechercher uniquement les moments exaltants ou ceux à nous couper le souffle en s'ennuyant ou en étant blasés le reste du temps, nous deviendrons des «savoureurs» ou de suprêmes épicuriens. Et dites-vous bien qu'il y a beaucoup moins d'intervalles entre tous les petits moments qu'entre les grands!

Le pouvoir de la bonté

―――❈❈❈―――

« *La beauté des petites choses*
Et autres gestes anodins
C'est l'appel d'un ami
Lorsqu'on a du chagrin
C'est d'avoir le fou rire
Sans en savoir la cause
C'est sortir faire la fête
Quand le cœur nous explose. »

La beauté des petites choses et autres gestes anodins
de Nicola Ciccone
Interprétée par l'auteur

―――❈❈❈―――

« L'amour qui s'exprime par des mots n'est pas forcément
convaincant : celui qui se traduit par des actes est irrésistible. »
S. MARTIN

Dans une séquence du film de Louise L. Hay, *Vous pouvez guérir votre vie*, on nous représente un homme dans un état dépressif qui, ne sachant plus comment s'en sortir, appelle son thérapeute à l'aide. Ce dernier lui demande alors s'il n'y a pas un endroit dans son immeuble à logements qui aurait besoin d'un coup de balai. Il lui suggère de prendre quelques minutes pour aller nettoyer l'endroit pendant qu'il l'attend au bout du fil.

Dix minutes plus tard, l'homme revient et juste au son de sa voix, on perçoit un changement. Il se sent soudainement mieux. Que s'est-il passé? Il a réussi à neutraliser sa morosité et peut même s'il le souhaite commencer à transformer la situation. Nous possédons tous cet immense pouvoir d'action.

Les périodes de difficultés nous donnent souvent l'occasion de mettre notre créativité à profit. Un homme me confiait un jour avoir utilisé cette faculté lors de l'anniversaire de sa femme. Ayant perdu son emploi, ses moyens ne lui permettaient pas d'acheter quoi que ce soit en guise de cadeau. Par contre, avec tout son cœur, il fit un geste très touchant…

Il se procura un paquet de «Post-it», de petits papiers autocollants en forme de cœur, et sur chaque feuillet, ses fils et lui ont écrit des qualités ou autres traits qu'ils appréciaient chez leur mère ou épouse. Ils y relataient des moments heureux, des souvenirs et tout ce qui pouvait faire plaisir à la personne fêtée. Ils ont collé les «Post-it» en question partout dans la maison. Il y en avait sur les portes d'armoires, les miroirs, les meubles, les fenêtres et même dans les tiroirs.

Lorsque son épouse rentra à la maison après son travail, elle eut l'heureuse surprise de découvrir son intérieur complètement placardé de petits cœurs. C'est avec émotion et beaucoup de bonheur qu'elle les a tous lus et conservés.

Tout comme on ne remarque pas assez la beauté des petites choses, on sous-estime souvent la puissance des petites actions. Pourtant, c'est souvent ce qui mène au bonheur et à l'excellence. Que diriez-vous de relever un défi? Un « p'tit plus » par jour pour le prochain mois! Une carte pour rappeler à quelqu'un pourquoi vous l'appréciez, un service en surplus juste pour faire plaisir au client, etc. Toutes ces petites actions feront une différence positive autant dans la vie des gens autour de vous que dans la vôtre en améliorant votre estime de soi. C'est l'inestimable cadeau de l'amour qui est partagé et nous revient multiplié.

Et si chaque être humain était venu sur terre pour offrir ce qu'il a de meilleur? Nous avons tous des talents particuliers et il est de notre devoir (ou responsabilité… eh oui, encore elle!) de les mettre à profit. C'est une excellente façon de se démarquer et de demeurer connecté à qui l'on est vraiment. Ça ne pourra que nous aider à rester dans le courant. Si vous désirez aider la société ou faire une forme particulière de bénévolat, vous pourriez offrir votre talent en cadeau.

Par exemple, si vous excellez dans la coiffure, allez coiffer des dames âgées dans une résidence ou à l'hôpital. Si vous êtes cordon-bleu, cuisinez des petits plats réconfortants que vous irez distribuer à des gens démunis ou vivant une situation plus difficile. Vous êtes bon pour les menus travaux? Offrez vos mains à une fondation, une bonne œuvre. Toutes les idées sont bonnes. Il suffit d'en avoir l'intention et je suis même convaincue que ceux qui en ont besoin se manifesteront à vous. Soyez attentif et généreux. Quelqu'un a peut-être besoin de vous!

Qui sait, peut-être ferez-vous de nouvelles rencontres ou développerez-vous de nouvelles idées créatives qui vous permettront de vous épanouir davantage? Ce cheminement pourrait également vous mener vers plus de prospérité. Rappelez-vous, dans la Bible, le talent était une unité monétaire!

Enfin, si l'expérience vous intéresse, vous pourriez aussi former un groupe de quelques personnes et vous réunir une fois par mois ou à la fréquence de votre choix pour échanger sur les sujets qui vous tiennent à cœur et vous inspirer mutuellement à accroître la bonté sur cette terre.

En 2004, j'ai fondé un groupe de ce genre baptisé *Les Bontés divines*. Aujourd'hui, il existe plusieurs groupes de *Bontés divines* à travers le Québec et même la France. Ce sont des femmes qui se réunissent pour s'entraider, améliorer leur estime personnelle ou faire avancer leurs rêves et leurs projets. Elles font aussi ce que j'appelle du «bénévolat volant», c'est-à-dire qu'elles organisent des activités pour venir en aide à ceux qui en ont besoin. Par exemple, elles organisent des activités de bricolage pour des personnes âgées en résidence. Elles vont distribuer des pensées positives imprimées sur de belles cartes à des gens hospitalisés. Certaines ont amassé des toutous pour les remettre à neuf et les redistribuer à des enfants de familles plus démunies. En groupe, on devient souvent très créatifs pour trouver d'excellentes idées.

L'important demeure que cela vous apporte quelque chose de positif et vous permette de vous sentir bien. Vous constaterez avec le temps comment le lien deviendra de plus en plus fort entre vous et vous serez surpris du chemin parcouru, autant pour vous-même que par rapport à toutes ces bonnes actions que vous aurez effectuées.

Une chanson en cadeau

—⊷⊶—

« *Faut pas attendre le destin pour s'aimer*
et se faire plaisir
Le bonheur, c'est pas le bout du chemin, c'est chaque
pas, chaque soupir. »

Le bonheur
Paroles d'Étienne Drapeau
Interprétée par l'auteur

—⊷⊶—

« Les mots sont les passants mystérieux de l'âme. »
VICTOR HUGO

Les premiers mots d'amour de mon amoureux me furent offerts à travers les paroles d'une chanson. Après une journée bien remplie, il m'accueillit en me servant un verre de vin et en déposant son iPod sur mes oreilles. Il me dit : « Écoute bien cette chanson, elle est pour toi... de moi... » Les paroles de *Je l'ai jamais dit à personne* d'Étienne Drapeau, qu'il a coécrites avec Roger Tabra, résonnèrent dans ma tête et dans mon cœur comme une magnifique déclaration d'amour.

La musique ayant toujours fait partie intégrante de ma vie, elle s'avérait le véhicule idéal pour me permettre de ressentir son message. Il peut paraître plus naturel d'utiliser les chansons en guise de déclarations d'amour. Il faut dire que l'amour est un sujet de prédilection pour la majorité des auteurs. Mais, nous pouvons aussi témoigner notre gratitude ou apporter réconfort à ceux qu'on aime par le biais d'une chanson. Lorsque j'écoute Il Divo et Céline Dion chanter *I Believe*, je me souviens de ce moment où ma mère m'avait téléphoné pour me dire qu'elle m'en faisait cadeau. De cette façon, elle désirait me rappeler à quel point elle croyait en moi.

Je me souviens aussi de cette triste fin de journée où je revenais des funérailles d'un ami. En arrivant à la maison, au moment où j'allais sortir de l'auto, une chanson débutait à la radio. Je ne saurais dire pourquoi, mais les paroles de la chanson *Sous le vent* de Jacques Veneruso, interprétée par Garou et Céline Dion m'ont accrochée.

Et si tu crois que c'est fini, jamais
(Sous le vent)
C'est juste une pause, un répit après les dangers
Fais comme si j'avais pris la mer
J'ai sorti la grande voile et j'ai glissé sous le vent
Fais comme si je quittais la terre
J'ai trouvé mon étoile, je l'ai suivie un instant

Aujourd'hui, chaque fois que j'entends cette chanson, je repense à tout ce que cet ami m'a apporté et j'ai même l'impression qu'il vient m'encourager à aller au bout de mes rêves, ce qu'il avait toujours fait pour moi de son vivant.

Comme vous voyez, on peut même se programmer positivement par la musique. D'ailleurs, si vous avez une copine qui est dans une mauvaise période ou se trouve moche, offrez-lui *T'es belle* de Jean-Pierre Ferland. Suggérez-lui de mettre cette chanson à tue-tête pendant qu'elle se prépare le matin. Vous verrez son état se transformer…

Dorénavant, si vous entendez une chanson qui vous fait penser à quelqu'un en particulier, transcrivez-lui les paroles ou encore mieux, offrez-lui l'album avec une prescription disant que vous lui dédiez telle chanson en particulier.

Au moment où je révisais ces lignes, j'ai reçu un courriel de mon amoureux m'invitant à écouter attentivement la chanson incluse dans son message. C'était *Just The Way You Are* de Bruno Mars. En voici un extrait :

> « *When I see your face (quand je vois ton visage)*
> *There's not a thing that I would change*
> *(je n'y changerais absolument rien)*
> *Cause you're amazing (parce que tu es incroyable)*
> *Just the way you are (tout simplement comme tu es)*
> *And when you smile, (et quand tu souris)*
> *The whole world stops and stare for awhile*
> *(le monde s'arrête pour t'admirer)*

Cause girl you're amazing (parce que tu es incroyable)
Just the way you are (tout simplement comme tu es). »

Laissez-vous inspirer par la musique. Entendez les messages qu'elle vous transmet… Soyez à l'écoute et faites cadeau d'une chanson à cette personne qui vous tient à cœur. Elle s'en souviendra longtemps et vous en sera des plus reconnaissantes…

Vive les poissons rouges !

───⸎───

« *Les victoires, les défaites,*
Les plaisirs et la peur,
La chanson du poète,
Et les frissons du cœur,
Tout s'oublie. »

Tout s'oublie
Paroles de Jacques Revaux, Didier Barbelivien
et Michel Sardou
Interprétée par Michel Sardou

───⸎───

« Oublier est le grand secret des existences
fortes et créatrices. »
HONORÉ DE BALZAC

Saviez-vous qu'un poisson rouge possède une capacité de mémoire d'environ trois secondes ? Je l'ai appris lors d'un entretien à la radio avec Josée Boudreault, de l'émission *Les Midis de Véro*, à Rythme

FM. Elle nous livra cette information en blaguant sur le fait que le poisson rouge était continuellement en état d'émerveillement puisqu'il oubliait constamment ce qu'il venait de voir ou de vivre. Imaginez le poisson rouge dans son bocal qui découvre qu'il a un trésor tout au fond (ce qu'on voit habituellement dans les bocaux de poissons!) Il se peut que le petit poisson continue son chemin (ou sa nage…) dans son bocal et que trois secondes passent (c'est vite passé trois secondes!) et qu'il se retrouve à nouveau devant son trésor tout aussi surpris et émerveillé que la fois précédente parce qu'il aura eu le temps d'oublier qu'il s'y trouvait. Formidable, n'est-ce pas? Cette histoire m'a fait rire, mais surtout réfléchir…

Honoré de Balzac avait raison. Nous aurions intérêt à développer une nouvelle habitude, soit celle de l'oubli. Ainsi, nous serions continuellement émerveillés et notre fardeau d'expériences négatives ou de souvenirs douloureux serait moins lourd à porter.

Imaginez-vous expérimentant sans cesse des premières fois. Ce serait un éternel recommencement. Si nous parvenions à jeter un regard neuf sur ce qui nous entoure incluant les êtres humains, nous serions sans doute ébahis de nos découvertes.

Pensez d'abord aux gens de votre entourage, votre famille, vos amis, vos collègues de travail, par exemple. En les percevant comme s'il s'agissait de votre première rencontre, vous ne seriez pas influencés par leurs petits travers découverts au fil du temps. Vous auriez oublié le mal qu'ils vous ont peut-être déjà fait. Vous pourriez plutôt leur offrir une nouvelle chance de se présenter avec ce qu'ils ont de plus merveilleux.

Pensez à tous ces couples qui ne se voient plus à force de vivre le quotidien ensemble. Imaginez le retour à la passion des débuts qui naît dans la nouveauté et l'inconnu. C'est le renouvellement du désir garanti, et ce sans fracas, dans le confort d'une relation déjà bien établie.

Bien que nous soyons devenus des adultes, la nouveauté exerce toujours son pouvoir de fascination sur nous. Regardez les enfants délaisser rapidement leurs anciens jouets pour jeter leur dévolu sur le dernier truc reçu.

Et que dire de tous ces événements du passé qui siphonnent encore notre énergie à force de nous revenir en mémoire. Le ressentiment, la douleur, les regrets, tout cela pourrait être soudainement oublié pour laisser place à de nouvelles expériences plus positives.

On pourrait citer des tonnes d'exemples des bienfaits de l'oubli. L'important consiste à prendre conscience de cette faculté dont nous disposons et qui pourrait nous être fort bénéfique. Allez! On efface tout et on recommence!

Vivons davantage comme les poissons rouges! Imaginez, on se lèverait le matin tout heureux de découvrir quelqu'un dans notre lit, on redécouvrirait notre maison, nos enfants puis on réaliserait la chance inouïe que nous avons d'avoir un travail, des amis, une vie, quoi!

C'est une autre forme de gratitude-attitude, de vivre comme un poisson rouge. Ainsi, nous ne risquons pas de nous blaser de quoi que ce soit. Au contraire, si nous prenions le temps d'admirer davantage ce qui nous entoure, de jeter un regard neuf sur notre vie, nous ferions de fabuleuses découvertes. Nous avons souvent tendance à croire que les autres ont mieux, que c'est plus beau ailleurs, mais nous oublions de regarder ce qui se trouve devant nous.

J'espère que cette histoire de poisson rouge vous rendra plus présent et reconnaissant. Vous verrez probablement tous vos sens s'activer et vous vous apercevrez que vous goûtez davantage, que vous vous sentez mieux et vos yeux seront éblouis par toute la beauté qui existe. Imaginez-vous faisant une promenade en fin de journée avec le soleil qui descend tranquillement, les oiseaux qui chantent et toutes les divines odeurs de la nature environnante.

Dites merci plus souvent. Merci pour la vie, pour la formidable personne que vous êtes et tout ce qui s'offre à vous !

Chaque soir au coucher, prenez le temps de remercier pour trois choses qui ont rendu votre journée plus agréable et vous ont permis de vous sentir heureux. Vous pouvez les noter pour les relire et les apprécier encore plus.

Au bout du compte, vous vous apercevrez que vous êtes déjà très riche puisque vous trouverez toujours de nouvelles choses pour lesquelles remercier. Et voici le plus intéressant, vous attirerez encore plus de choses positives. C'est la loi de l'abondance. Plus on apprécie, plus ça se multiplie ! Vous aurez peut-être même envie de collectionner ce genre de moment...

Vous pourriez le faire en vous procurant une belle grande boîte dans laquelle vous accumulerez tous les messages reçus, les cartes ou autres délicates attentions qui vous ont rempli le cœur de gratitude. Vous pourrez y replonger les jours où vous aurez le vague à l'âme. C'est le parfait complément au pyjama confortable et à la boîte de mouchoirs !

Oprah Winfrey, quant à elle, demande toujours à ses invités de ne rien apporter lorsqu'elle reçoit. Elle place plutôt un papier et un crayon devant chaque couvert à la table et elle invite ses amis à lui écrire un petit mot doux. J'imagine qu'elle doit maintenant en avoir plusieurs qu'elle conserve peut-être dans sa propre boîte de gratitude.

Une autre façon d'entretenir la gratitude consiste à offrir votre bénédiction. *Le Petit Robert* la définit comme suit : «Formule exprimant l'adhésion du cœur, souhaitant le bonheur, la prospérité, la protection divine.» Vous pourriez bénir (intérieurement) les gens que vous rencontrez. Vous verrez, cette technique s'avère très efficace pour désamorcer une dispute ou calmer certaines personnes... Quand on a l'impression qu'on ne peut plus rien faire, on peut encore envelopper les gens ou les situations d'amour et de lumière.

Comme une éclaircie…

———◦◦◦◦———

« Pouvoir encore regarder
Pouvoir encore écouter
Et surtout pouvoir chanter
Que c'est beau, c'est beau la vie. »

C'est beau la vie
Paroles de Claude Delecluse et Michelle Senlis
Interprétée par Jean Ferrat

———◦◦◦◦———

« Ce qui embellit le désert, dit le Petit Prince,
c'est qu'il cache un puits quelque part… »
ANTOINE DE SAINT-EXUPÉRY

Ma grand-mère paternelle est décédée à l'âge vénérable de cent un ans. Lors d'une visite, quelque temps après son centième anniversaire, je voulus savoir quel était son secret de longévité. Je m'attendais à ce qu'elle se mette à rire en me disant qu'elle n'en avait aucune idée, mais j'eus l'agréable surprise de l'entendre me donner une réponse très structurée, comme si elle attendait impatiemment qu'on lui pose la question…

Adélia expliquait sa bonne santé et la belle qualité de sa vie par trois choses. D'abord, elle avait toujours fait ce qu'elle aimait ou… appris à aimer ce qu'elle faisait, ce qui pour elle était primordial.

Deuxièmement, elle vouait une grande importance à la gratitude. Toujours, elle avait été reconnaissante pour tout ce qui l'entourait, autant les gens, que les événements ou les objets. La gratitude représentait pour elle une merveilleuse façon de se sentir riche et de cultiver le bonheur.

Alors que j'étais très curieuse de connaître son troisième secret de longévité, elle se fit intrigante en m'avouant qu'il était d'une nature complètement différente. En effet, depuis de nombreuses années, ma grand-mère consommait des graines de lin tous les matins. Pas besoin de vous dire que maintenant, j'en fais tout autant !

Cette grand-maman demeurera toujours pour moi un magnifique modèle. Et je me souviendrai d'elle comme d'une femme élégante et avant-gardiste, une mélomane, une oratrice éloquente, et surtout une femme qui aimait la vie. D'ailleurs, c'est ce qu'elle répétait le plus souvent : « C'est beau la vie ! »

Toutefois, cette vie terrestre n'est pas toujours une aventure facile. On y expérimente des hauts et des bas… Il nous arrive de recevoir des cadeaux mal emballés, de traverser des périodes plus difficiles nous permettant de naître à autre chose. On peut toujours rebâtir, non pas à partir de rien, puisque nous ne pourrons jamais être complètement dépossédés de notre immense potentiel. En tout temps, nous avons la possibilité de nourrir l'espoir…

Avez-vous déjà remarqué comme la lumière semble plus vive après une période de noirceur? On n'a qu'à penser au lever du jour, à la chandelle qu'on allume lors d'une panne de courant ou encore au retour des journées ensoleillées après une période de mauvais temps. Cela me rappelle un texte que ma mère m'avait envoyé un jour de grande tristesse…

Ne pas s'en faire… facile à dire…
La seule pensée positive que je veux partager avec toi,
c'est qu'après la pluie, il y a le beau temps…
Parfois, il pleut quelques jours d'affilée, le ciel est gris,
ce peut être accompagné de vents violents,
de gros nuages noirs, et tout à coup c'est l'éclaircie,
le soleil brille à nouveau, le ciel redevient bleu,
les oiseaux chantent, les nuages se dissipent
et nous voilà repartis.

Je vous souhaite une multitude de magnifiques éclaircies dans votre vie. Recherchez-les même quand tout semble gris, car elles sont là, parfois cachées derrière quelques nuages, mais attendant de se faire voir et de nous apporter chaleur et réconfort.

Vous êtes plus puissant que vous ne le croyez!

Apprenez à vous connaître et à laisser émerger votre trésor. Faites ce qu'il faut pour vous libérer de ce qui vous entrave, des lourdeurs de votre vie. Voyagez léger comme on dit!

Mais surtout, n'attendez pas d'être à la retraite ou d'avoir obtenu quoi que ce soit pour trouver votre bonheur. Attardez-vous dès maintenant à cueillir les divins cadeaux que l'existence vous offre. Gardez votre centre d'attention sur ce qui est beau, ce qui est bon et ce qui vous fait du bien.

J'ai longtemps eu peur du bonheur. Je l'ai cherché au mauvais endroit et surtout je l'ai tellement attendu. Mon chemin aussi a été parsemé d'embûches, tout n'a pas toujours été facile. Toutefois, j'ai appris à rechercher le bonheur dans ce chemin et non dans la destination. J'ai longtemps cru que je serais heureuse lorsque j'aurais plus d'argent, plus de temps, un nouvel emploi, etc. Mais tout cela ne représente qu'un avenir possible. Mon passé, je l'ai déjà vécu. Alors, que me reste-t-il?

AUJOURD'HUI!!!

C'est aujourd'hui que je décide d'être heureuse et reconnaissante pour le chemin déjà parcouru. C'est aujourd'hui que j'apprécie la vie, MA vie. Au fond, c'est si simple le bonheur. Peut-être trop simple… nous avons tellement été conditionnés à penser qu'il faut travailler dur, que nous devons «gagner notre ciel»… On oublie de conserver son cœur d'enfant, de s'émerveiller. On oublie qu'il n'y a plus de parents pour nous surveiller. Nous sommes libres de vivre pleinement notre existence, libres de choisir cette vie et de s'y accomplir.

Le bonheur n'est jamais venu cogner à ma porte. C'est moi qui suis allée frapper à la sienne. Je l'ai choisi! J'essaie de le vivre quotidiennement, dans le moment présent. Chaque jour est un cadeau et il ne tient qu'à moi d'en reconnaître la valeur inestimable et d'en profiter. Je ne cherche plus à me comparer, à prouver quoi que ce soit. Je m'applique à être la meilleure version de moi-même.

Et je suis heureuse, en ce moment même.

Dale Carnegie a dit: «Une des choses les plus tragiques que je connaisse sur la nature humaine est que nous avons tous tendance à remettre la vie au lendemain. Nous rêvons tous d'un jardin magique plein de roses loin à l'horizon, au lieu de savourer les roses qui fleurissent aujourd'hui sous nos fenêtres.»

Déposez vite ce livre et allez célébrer votre vie de la manière que vous jugerez la plus exaltante.

Tournez-vous vers l'amour et voyez chaque jour comme une nouvelle opportunité de vivre intensément dans la joie et l'allégresse. Ainsi, vous aurez le goût de dire et peut-être même de chanter: «C'est beau la vie!»

Que le bonheur soit avec vous!

Lectures suggérées

Le Millionnaire de Marc Fisher, éditions Québec Amérique, 1997.

Le Succès selon Jack de Jack Canfield, éditions Un monde différent, 2005.

La Puissance de votre subconscient du Dr Joseph Murphy, éditions Le Jour, 1987.

L'Alchimiste de Paulo Coelho, éditions Flammarion, 2010.

Le Secret de Rhonda Byrne, éditions Un monde différent, 2007.

La Science de l'enrichissement de Wallace D. Wattles, éditions Le Dauphin blanc, 2006.

Mange, prie, aime de Elizabeth Gilbert, éditions Calmann-Lévy, 2008.

Jade et les sacrés mystères de la vie de François Garagnon, éditions Alexandre Stanké, 2000.

Techniques de visualisation créatrice de Shakti Gawain, Le Courrier du livre, 2006.

Les Lois dynamiques de la prospérité de Catherine Ponder, éditions Un monde différent, 1996.

Votre vie ou votre argent de Joe Dominguez et Vicki Robin, Les éditions Logiques, 2005.

Vous pouvez guérir votre vie de Louise L. Hay (DVD), 2009.

L'Abondance dans la simplicité de Sarah Ban Breathnach, éditions Du Roseau, 1999.

L'Ange intérieur de Chris Widener, éditions Le Dauphin blanc, 2008.

Le Why Café de John P. Strelecky, éditions Le Dauphin blanc, 2009.

La Rose retrouvée de Serdar Ozkan, éditions Les Intouchables, 2006.

La trilogie de *La Grande Mascarade* de A. B. Winter, publiée aux éditions Un monde différent sous les titres *La Grande Mascarade, L'Ode à la joie* et *La Croisade des enfants,* 2008, 2009.

Votre mission de vie de Carol Adrienne, éditions Du Roseau, 1999.

Le Choix par Og Mandino, éditions Un monde différent, 2002.

Demandez à vos guides de Sonia Choquette, éditions AdA, 2007.

L'homme qui voulait être heureux de Laurent Gounelle, éditions A. Carrière, 2008.

Quatre plaisirs par jour, au minimum ! par Evelyne Bissone Jeufroy, éditions Payot, 2010.

Si vous avez apprécié votre lecture et
si vous désirez poursuivre sur le chemin
de l'inspiration, je vous invite à vous inscrire
au **Bulletin Secret** sur mon site Internet au
WWW.CHRISTINEMICHAUD.COM.

Chaque mois, vous recevrez une histoire inspirante vous
démontrant à quel point elle est belle la vie !

Et pour donner suite à votre inscription, vous recevrez
un premier cadeau… Vous vous souvenez de l'exercice
que j'ai créé et mis à l'essai pour attirer ma maison
de rêve ? Vous pourrez le tester à votre tour et
ainsi faire de vos rêves des réalités !

Puis, si le cœur vous en dit, écrivez-moi à :

CHRISTINE@CHRISTINEMICHAUD.COM

pour me raconter vos belles histoires.

CHEZ LE MÊME ÉDITEUR

45 SECONDES QUI CHANGERONT VOTRE VIE *Don Failla*

52 FAÇONS DE DÉVELOPPER SON ESTIME PERSONNELLE ET SA CONFIANCE EN SOI *Catherine E. Rollins*

À LA SANTÉ DE VOTRE RETOUR AU TRAVAIL ! *Annick Thibodeau, Mélanie et Mylène Grégoire*

AGENDA DU MIEUX-ÊTRE (L') *Un monde différent*

AGENDA DU SUCCÈS (L') (Format poche) *Un monde différent*

AGENDA DU SUCCÈS (L') (Format régulier) *Un monde différent*

ALLEZ AU BOUT DE VOS RÊVES *Tom Barrett*

ALLUMEUR D'ÉTINCELLES (L') *Marc André Morel*

AMOUR DE SOI (L') *Marc Gervais*

ANGE DE L'ESPOIR (L') *Og Mandino*

APPRENTI-MILLIONNAIRE *Marc Fisher*

APPRIVOISER SES PEURS *Agathe Bernier*

ATHLÈTE DE LA VIE (nouvelle édition) *Thierry Schneider*

ATTIREZ LA PROSPÉRITÉ *Robert Griswold*

ATTITUDE 101 *John C. Maxwell*

ATTITUDE D'UN GAGNANT *Denis Waitley*

ATTITUDE GAGNANTE (UNE) *John C. Maxwell*

AUGMENTEZ VOTRE INTELLIGENCE FINANCIÈRE *Robert T. Kiyosaki*

AVANT DE QUITTER VOTRE EMPLOI *Robert T. Kiyosaki*

BOUSSOLE (LA) *Tammy Kling et John Spencer Ellis*

CE QU'IL FAUT SAVOIR AVANT DE MOURIR *John Izzo*

CES PARENTS QUE TOUT ENFANT EST EN DROIT D'AVOIR *Claire Pimparé*

C'EST BEAU LA VIE *Christine Michaud*

CHOIX (LE) *Og Mandino*

CLÉ (LA) *Joe Vitale*

CŒUR AUX VENTES (LE) *Jean-Pierre Lauzier*

COMMENT SE FAIRE DES AMIS GRÂCE À LA CONVERSATION *Don Gabor*

COMMENT SE FIXER DES BUTS ET LES ATTEINDRE *Jack E. Addington*

COMMUNIQUER EN PUBLIC: UN DÉFI PASSIONNANT *Patrick Leroux*

COMMUNIQUER: UN ART QUI S'APPREND *Lise Langevin Hogue*

CROIRE… C'EST VOIR *Dr Wayne Dyer*

CROISADE DES ENFANTS (LA) *A.B. Winter*

CROYEZ EN VOUS MÊME SI ON VOUS TROUVE FOU ! *Marc Fisher*

DE DONS EN MIRACLES *F. Vaughan / R. Walsh*

DE LA PART D'UN AMI *Anthony Robbins*

DÉCOUVREZ VOTRE DESTINÉE *Robin S. Sharma*

DÉCOUVREZ VOTRE MISSION PERSONNELLE *Nicole Gratton*

DÉVELOPPEZ HABILEMENT VOS RELATIONS HUMAINES *L. T. Giblin*

DÉVELOPPEZ VOTRE LEADERSHIP *John C. Maxwell*

DEVENEZ INFLUENT *Tony Zeiss*

DEVENEZ LA PERSONNE QUE VOUS RÊVEZ D'ÊTRE (Format poche) *Robert H. Schuller*

DEVENEZ UNE PERSONNE D'INFLUENCE *J.C. Maxwell*

DIX COMMANDEMENTS POUR UNE VIE MEILLEURE (Format poche) *Og Mandino*

DIX SECRETS DU SUCCÈS ET DE LA PAIX INTÉRIEURE (LES) *Wayne W. Dyer*

DONNER SANS COMPTER *Bob Burg, John David Mann*

ÉCOLE DES AFFAIRES (L') NOUVELLE ÉDITION *R. T. Kiyosaki*

ELLE ET LUI *Willard F. Harley*

EMPOWER *Isabelle Fontaine*

EN ROUTE VERS LE SUCCÈS *Rosaire Desrosby*

ENVERS DE MA VIE (L') *Marie-Chantal Toupin*

ÉQUILIBRISTE (L') *Philip Blanc et Éric Hubler*

ESPRIT QUI ANIME LES GAGNANTS
(L') *Art Garner*
ET SI ON CHOISISSAIT D'ÊTRE
HEUREUX! *Nicholas Gaitan*
ÉVEILLEZ L'ÉTINCELLE *Rensselaer /
Hubbard*
EXCELLENCE, UNE ATTITUDE À
ADOPTER (L') *Robin Sharma*
FACTEUR D'ATTRACTION (LE)
Joe Vitale
FAIRE AU JOURD'HUI CE QUE TOUS
FERONT DE MAIN *Thierry Schneider*
FAVORISE Z LE LEADERSHIP DE VOS
ENFANTS *Robin S. Sharma*
FISH! *Stephen C. Lundin*
FONCEUR (LE) (Format poche) *Peter
B. Kyne*
FORMATION 101 *John C. Maxwell*
FUIR SA SÉCURITÉ *Richard Bach*
GRAINES D'ÉVEIL *Vincent Thibault*
GRANDE MASCARADE (LA)
(Format poche) *A.B. Winter*
GUÉRIR DE L'INGUÉRISSABLE
Jocelyn Demers
GUIDE DE SURVIE PAR L'ESTIME
DE SOI *Aline Lévesque*
GUIDE POUR INVESTIR *R. T. Kiyosaki*
HEUREUX SANS RAISON *Marci Shimoff*
HOMME EST LE REFLET DE SES
PENSÉES (L') *James Allen*
HOMME LE PLUS RICHE DE
BABYLONE (L') *George S. Clason*
IMPARFAITE, ET ALORS? *Julie Beaupré
et Anik Routhier*
INDÉPENDANCE FINANCIÈRE
AUTOMATIQUE (L') *Jacques Lépine*
INDÉPENDANCE FINANCIÈRE
GRÂCE À L'IMMOBILIER (L')
Jacques Lépine
LEADER, AVEZ-VOUS CE QU'IL
FAUT? *John C. Maxwell*
LEADERSHIP 101 *John C. Maxwell*
LOIS DE L'HARMONIE (LES)
Wayne W. Dyer
LOIS DYNAMIQUES DE LA
PROSPÉRITÉ (LES) *Catherine Ponder*
MAGIE DE CROIRE (LA)
Claude M. Bristol
MAGIE DE VOIR GRAND (LA)
David J. Schwartz

MAÎTRISE DE SA DESTINÉE (LA)
James Allen
MARKETING DE RÉSEAUX (LE)
(Format poche) *Janusz Szajna*
MARKETING DE RÉSEAU 101
Rubino / J. Terhume
MAUX POUR LE DIRE (LES)
Suzanne Couture
MÉGAVIE… MON STYLE DE VIE
Robin S. Sharma
MEILLEURE FAÇON DE VIVRE (UNE)
Og Mandino
MÉMORANDUM DE DIEU (LE)
(Format poche) *Og Mandino*
MERCI LA VIE *Deborah Norville*
MESSAGERS DE LUMIÈRE
Neale Donald Walsch
MES VALEURS, MON TEMPS,
MA VIE! *Hyrum W. Smith*
MILLIONNAIRE DU BONHEUR
Maxime Gilbert
MILLIONNAIRE PARESSEUX (LE)
Marc Fisher
MIRACLE DE L'INTENTION (LE)
Pat Davis
MOINE QUI VENDIT SA FERRARI
(LE) *Robin S. Sharma*
NÉ POUR GAGNER *L. Timberlake*
NOS ENFANTS RICHES ET
BRILLANTS *R. T. Kiyosaki*
OBSESSION *Lloyd C. Douglas*
ODE À LA JOIE (L') *A.B. Winter*
ON SE CALME *Louise Lacourse*
OPTIMISEZ VOTRE ÉQUIPE
Patrick Lencioni
OUVERTURE DU CŒUR (L')
Marc Fisher
OUVREZ VOTRE ESPRIT POUR
RECEVOIR *Catherine Ponder*
OUVREZ-VOUS À LA PROSPÉRITÉ
Catherine Ponder
PASSEZ AU VERT *Sloan Barnett*
PASSION.WEB *Gary Vaynerchuk*
PENSÉE POSITIVE (LA) *Norman V. Peale*
PÈRE RICHE, PÈRE PAUVRE
R. T. Kiyosaki
PÈRE RICHE, PÈRE PAUVRE,
LA SUITE *R. T. Kiyosaki*
PERSONNALITÉ PLUS *Florence Littauer*
PETITES DOUCEURS POUR LE
CŒUR *Nicole Charest*

PLUS GRAND MIRACLE DU MONDE
(LE) *Og Mandino*

PLUS GRAND MYSTÈRE DU MONDE
(LE) *Og Mandino*

PLUS GRAND SUCCÈS DU MONDE
(LE) *Og Mandino*

PLUS GRAND VENDEUR DU MONDE
(LE) *Og Mandino*

PLUS GRAND VENDEUR DU MONDE
(LE) TOME 2 *Og Mandino*

PLUS VIEUX SECRET DU MONDE
(LE) *Marc Fisher*

POUVOIR MAGIQUE DES
RELATIONS D'AFFAIRES (LE)
Timothy L. Templeton

POUVOIR TRIOMPHANT DE
L'AMOUR (LE) *Catherine Ponder*

PROGRESSER À PAS DE GÉANT
Anthony Robbins

PROPOS SUR LA DIFFÉRENCE
Roger Drolet

PROVOQUEZ LE LEADERSHIP
John C. Maxwell

QUAND ON VEUT, ON PEUT !
Norman V. Peale

QUI VA PLEURER… QUAND VOUS
MOURREZ ? *Robin S. Sharma*

RÈGLES ONT CHANGÉ ! (LES)
Bill Quain

RELATIONS 101 *John C. Maxwell*

RELATIONS EFFICACES POUR UN
LEADERSHIP EFFICACE
John C. Maxwell

RELATIONS HUMAINES, SECRET DE
LA RÉUSSITE (LES) *ElmerWheeler*

RENAISSANCE (LA) *Marc Gervais*

RENDEZ-VOUS AU SOMMET *Zig Ziglar*

RETOUR DU CHIFFONNIER (LE)
Og Mandino

RÉUSSIR SA VIE *Marc Gervais*

SAGESSE DES MOTS (LA)
Baltasar Gracián

SAGESSE DU MOINE QUI VENDIT SA
FERRARI (LA) *Robin S. Sharma*

S'AIMER SOI-MÊME *Robert H. Schuller*

SAINT, LE SURFEUR ET LA PDG (LE)
Robin S. Sharma

SAVOIR VIVRE *Lucien Auger*

SECRET (LE) *Rhonda Byrne*

SECRET DE LA ROSE (LE) *Marc Fisher*

SECRET DE LA FORME AU
QUOTIDIEN (LE) *Sonja Schneider*

SECRET DU POUVOIR DES ADOS
(LE) *Paul Harrington*

SECRET EST DANS LE PLAISIR (LE)
Marguerite Wolfe

SECRETS D'UNE COMMUNICATION
RÉUSSIE (LES) *Larry King*

S'ÉPANOUIR ET RÉUSSIR SES
ÉTUDES *Pierre Bovo*

SOMMEIL IDÉAL (LE) *Nicole Gratton*

SOURCE DE BONHEURS ET DE
BIENFAITS *Vincent Thibault*

STRATÉGIES DE PROSPÉRITÉ
(Format poche) *Jim Rohn*

STRESS : LÂCHEZ PRISE NOUVELLE
ÉDITION *Guy Finley*

SUCCÈS N'EST PAS LE FRUIT DU
HASARD (LE) *Tommy Newberry*

SUCCÈS SELON JACK (LE) *Jack Canfield*

SYNCHRONISATION DES ONDES
CÉRÉBRALES (LA) *Ilchi Lee*

TENDRESSE (LA) *A. Lévesque*

TESTAMENT DU MILLIONNAIRE
(LE) *Marc Fisher*

TOUJOURS PLUS HAUT *Michael J. Fox*

TOUT EST DANS L'ATTITUDE
Jeff Keller

TRACEZ VOTRE DESTINÉE
PROFESSIONNELLE
Mélanie et Mylène Grégoire

ULTIMES SECRETS DE LA
CONFIANCE EN SOI (LES)
Dr Robert Anthony

UN *Richard Bach*

UNIVERS DE LA POSSIBILITÉ (L')
B.et R. Zander

VAINCRE L'ADVERSITÉ *John C. Maxwell*

VOIES DE LA RÉUSSITE (LES) *Collectif*

VOUS² *Price Pritchett*

VOUS INC. *Burke Hedges*

WEEK-END POUR CHANGER VOTRE
VIE (UN) *Joan Anderson*